사고력을 키우는

팩토

연산

C04
큰 수의 곱셈과 나눗셈

매스티안

구성과 특징

1주 연산 원리 학습

붙임 딱지 등의 활동으로
연산 원리를 재미있게 체득

2주 연산 응용 학습

연산 원리를 응용한 문제를
풀어 보며 문제해결력 신장

정답

아이와 자연스럽게 학습을 시작할 수
있도록 스토리텔링 방식 도입

아이들이 배우는 연산 원리에 대한
학습가이드 제시

연산 실력 체크 진단 + 보충 온라인 보충 학습

2~4주차 사고력 연산을
학습하기 전에 연산 실력 체크

매스티안 홈페이지에서 제공하는
보충 학습으로 연산 원리 다지기

온라인 활동지

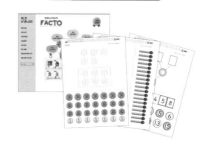

매스티안 홈페이지에서 제공하는
활동지로 사고력 연산 이해도 향상

4주 › 사고력 학습 2

연산 원리를 바탕으로 한 사고력 연산
문제를 풀어 보며 **수학적 사고력과 창의력 향상**

3주 › 사고력 학습 1

연산 원리를 바탕으로 한 사고력 연산
문제를 풀어 보며 **수학적 사고력과 창의력 향상**

· 3, 4주차 1일 학습 흐름 ·

 ➡  ➡  ➡

특정 주제를 쉬운 문제부터 목표 문제까지 차근차근
학습할 수 있도록 설계 되어 있어 자기주도학습 가능

✫✫ App Game 팩토 연산 SPEED UP

앱스토어에서 무료로 다운받은
팩토 연산 SPEED UP으로 덧셈, 뺄셈,
곱셈, 나눗셈의 연산 속도와 정확성 향상

✫✫ 부록 칭찬 붙임 딱지, 상장

학습 동기 부여를 위한
칭찬 붙임 딱지와 연산왕 상장

사고력을 키우는 **팩토 연산 시리즈**

 P | 권장 학년 : 7세, 초1 |

권별	학습 주제	교과 연계
P01	10까지의 수	❶학년 1학기
P02	작은 수의 덧셈	❶학년 1학기
P03	작은 수의 뺄셈	❶학년 1학기
P04	작은 수의 덧셈과 뺄셈	❶학년 1학기
P05	50까지의 수	❶학년 1학기

 A | 권장 학년 : 초1, 초2 |

권별	학습 주제	교과 연계
A01	100까지의 수	❶학년 2학기
A02	덧셈구구	❶학년 2학기
A03	뺄셈구구	❶학년 2학기
A04	(두 자리 수)+(한 자리 수)	❷학년 1학기
A05	(두 자리 수)−(한 자리 수)	❷학년 1학기

 B | 권장 학년 : 초2, 초3 |

권별	학습 주제	교과 연계
B01	세 자리 수	❷학년 1학기
B02	(두 자리 수)+(두 자리 수)	❷학년 1학기
B03	(두 자리 수)−(두 자리 수)	❷학년 1학기
B04	곱셈구구	❷학년 2학기
B05	큰 수의 덧셈과 뺄셈	❸학년 1학기

 C | 권장 학년 : 초3, 초4 |

권별	학습 주제	교과 연계
C01	나눗셈구구	❸학년 1학기
C02	두 자리 수의 곱셈	❸학년 2학기
C03	혼합 계산	❹학년 1학기
C04	큰 수의 곱셈과 나눗셈	❹학년 1학기
C05	분수·소수의 덧셈과 뺄셈	❹학년 1학기

C04 큰 수의 곱셈과 나눗셈 목차

C04권에서는 세 자리 수의 곱셈과 나눗셈을 학습합니다.

큰 수의 곱셈과 나눗셈은 머릿셈으로 계산하기에는 복잡하므로 세로셈 형식으로 계산하는 것이 더 효율적입니다.

곱셈과 나눗셈의 세로셈 형식의 계산 방법은 모두 같으므로 C04권에서 학습하지 않은 네 자리 수 이상의 곱셈과 나눗셈도 C04권에서 학습한 세로셈 형식의 계산 방법을 확장하여 계산하면 됩니다.

1일차 (세 자리 수) x (한 자리 수)

```
  2 2 6
×     5
-------
1 1 3 0
```

(세 자리 수) x (한 자리 수)를 학습합니다.

2일차 (세 자리 수) x (몇십)

```
  3 1 2
×   2 0
-------
6 2 4 0
```

(세 자리 수) x (몇십)을 학습합니다.

학습관리표

일 자			소요 시간	틀린 문항 수	확인
❶ 일차	월	일	:		
❷ 일차	월	일	:		
❸ 일차	월	일	:		
❹ 일차	월	일	:		
❺ 일차	월	일	:		

3일차	(세 자리 수) x (두 자리 수)

```
    2 3 2
  ×   6 5
  ---------
  1 5 0 8 0
```

(세 자리 수) x (두 자리 수)를 세로셈 형식으로 학습합니다.

4일차	나머지가 없는 나눗셈

```
      1 8
  2 ) 3 6
      3 6
  -------
       0
```

나머지가 없는 나눗셈을 학습합니다.

5일차	나머지가 있는 나눗셈

```
        7
  3 ) 3 6
      3 5
  -------
        1
```

나머지가 있는 나눗셈을 학습합니다.

연산 실력 체크

1주차 학습에 이어 2, 3, 4주차 학습을 원활히 하기 위하여 연산 실력 체크를 합니다.
연습이 더 필요할 경우에는 매스티안 홈페이지의 보충 학습을 풀어 봅니다.

①주

(세 자리 수) × (한 자리 수)

일차

🌷 동전을 붙이며 곱셈을 하시오.

준비물 ▶ 붙임 딱지

100 100 × 3 = 100 100 + 100 100 + 100 100 ➡ 6 0 0

$200 \times 3 = 200 + 200 + 200 =$

10 10 100 × 3 = + + ➡ 60

$120 \times 3 = 120 + 120 + 120 =$

① ① 10 10 10 10 100 × 2 = + ➡

$142 \times 2 = 142 + 142 =$

은 안에 알맞은 수를 써넣어 곱셈을 하시오.

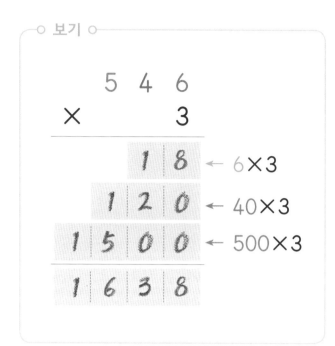

○ 보기 ○

```
      5 4 6
    ×     3
    ─────────
        1 8    ← 6×3
      1 2 0    ← 40×3
    1 5 0 0    ← 500×3
    ─────────
    1 6 3 8
```

```
      4 3 0
    ×     2
    ─────────
```

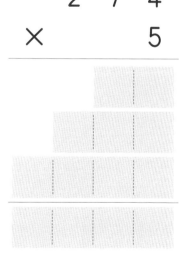

```
      1 2 0
    ×     4
    ─────────
```

```
      2 7 4
    ×     5
    ─────────
```

```
      3 4 2
    ×     6
    ─────────
```

ㅇ 각 자리를 맞추어 곱셈을 하시오.

240 × 3 = [   ][ ]0 ➡ 240 × 3 = 7 2 0

24 × 3

100 × 7 = [   ][ ][ ]

1 × 7

130 × 2 = [   ][ ][ ]

13 × 2

300 × 3 = [   ][ ][ ]

410 × 6 = [   ][ ][ ]

400 × 6 = [   ][ ][ ]

360 × 4 = [   ][ ][ ]

600 × 5 = [   ][ ][ ]

720 × 8 = [   ][ ][ ]

```
    2 4 0        2 4 0        2 4 0
  ×     3  →   ×     3  →   ×     3
  ─────────    ─────────    ─────────
        0          2 0      7 2 0
```

1
C04

```
  3 0 0        6 0 0        3 1 0
×     2      ×     4      ×     5
─────────    ─────────    ─────────
```

```
  1 4 0        3 7 0        8 9 0
×     7      ×     2      ×     6
─────────    ─────────    ─────────
```

각 자리를 맞추어 곱셈을 하시오.

```
        1                      2  1                      2  1
   4  7  3                  4  7  3                  4  7  3
×        4       ➡      ×        4       ➡      ×        4
──────────              ──────────              ──────────
         2                    9  2              1  8  9  2
```

```
   2  2  6                  7  8  9                  4  5  7
×        5                ×        2                ×        3
──────────              ──────────              ──────────
```

```
   6  7  3                  2  5  4                  6  4  2
×        4                ×        7                ×        8
──────────              ──────────              ──────────
```

```
    2 4 3            6 5 4            3 4 9
  ×     5          ×     3          ×     4
  ─────────        ─────────        ─────────
```

1

C04

```
    5 7 5            4 3 6            6 5 8
  ×     6          ×     7          ×     5
  ─────────        ─────────        ─────────
```

```
    3 3 3            2 3 7            9 7 4
  ×     9          ×     8          ×     7
  ─────────        ─────────        ─────────
```

2 일차 (세 자리 수) × (몇십)

🌷 동전을 붙이며 곱셈을 하시오.

준비물 ▸ 붙임 딱지

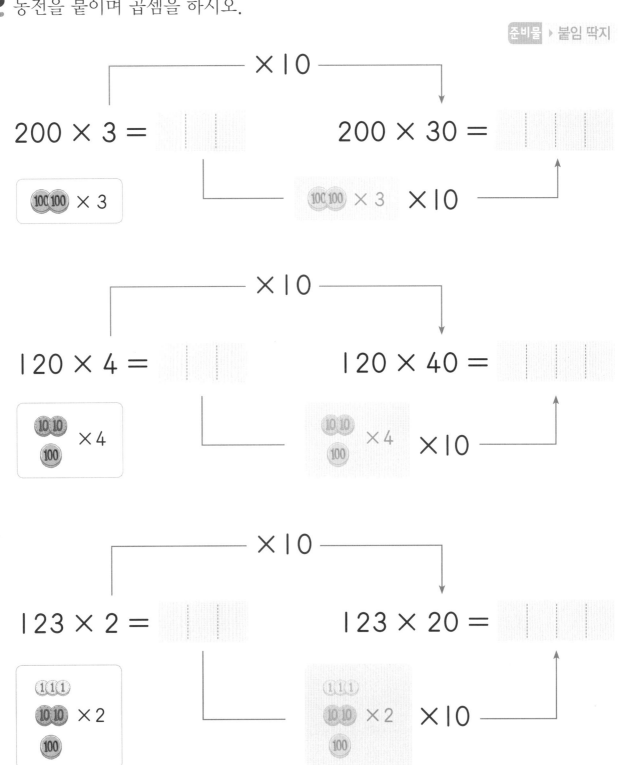

$$\times 10$$

$200 \times 3 = $ | $200 \times 30 = $

$\boxed{100\ 100} \times 3$ | $100\ 100 \times 3$ $\times 10$

$$\times 10$$

$120 \times 4 = $ | $120 \times 40 = $

$\boxed{\begin{matrix} 10\ 10 \\ 100 \end{matrix}} \times 4$ | $\begin{matrix} 10\ 10 \\ 100 \end{matrix} \times 4$ $\times 10$

$$\times 10$$

$123 \times 2 = $ | $123 \times 20 = $

$\boxed{\begin{matrix} 1\ 1\ 1 \\ 10\ 10 \\ 100 \end{matrix}} \times 2$ | $\begin{matrix} 1\ 1\ 1 \\ 10\ 10 \\ 100 \end{matrix} \times 2$ $\times 10$

⚬ ▦ 안에 알맞은 수를 써넣어 곱셈을 하시오.

◦ 보기 ◦

$$\begin{array}{r} 3\ 4\ 0 \\ \times\quad 2\ 0 \\ \hline 0 \leftarrow 340 \times 0 \\ 6\ 8\ 0\ 0 \leftarrow 340 \times 20 \\ \hline 6\ 8\ 0\ 0 \end{array}$$

$$\begin{array}{r} 2\ 1\ 0 \\ \times\quad 1\ 0 \\ \hline \leftarrow 210 \times 0 \\ \leftarrow 210 \times 10 \\ \hline \end{array}$$

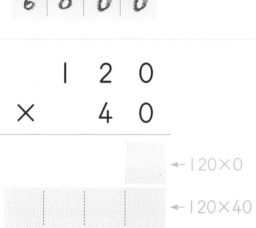

$$\begin{array}{r} 1\ 2\ 0 \\ \times\quad 4\ 0 \\ \hline \leftarrow 120 \times 0 \\ \leftarrow 120 \times 40 \\ \hline \end{array}$$

$$\begin{array}{r} 4\ 3\ 0 \\ \times\quad 2\ 0 \\ \hline \leftarrow 430 \times 0 \\ \leftarrow 430 \times 20 \\ \hline \end{array}$$

$$\begin{array}{r} 1\ 3\ 2 \\ \times\quad 3\ 0 \\ \hline \leftarrow 132 \times 0 \\ \leftarrow 132 \times 30 \\ \hline \end{array}$$

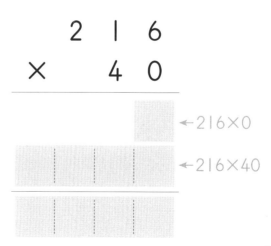

$$\begin{array}{r} 2\ 1\ 6 \\ \times\quad 4\ 0 \\ \hline \leftarrow 216 \times 0 \\ \leftarrow 216 \times 40 \\ \hline \end{array}$$

1
C04

🔵 각 자리를 맞추어 곱셈을 하시오.

430 × 20 = ⬚ ⬚ 0 0 ➡ 430 × 20 = 8 6 0 0

43 × 2

200 × 30 = 0 0 0

2 × 3

210 × 10 =

21 × 1

100 × 70 =

320 × 20 =

400 × 20 =

120 × 40 =

300 × 30 =

230 × 30 =

1
C04

```
    4 3 0              4 3 0
  ×   2 0      →     ×   2 0
  ─────────          ─────────
            0        8 6 0 0
```

```
    1 0 0              2 0 0              7 0 0
  ×   5 0            ×   4 0            ×   1 0
  ─────────          ─────────          ─────────
          0
```

```
    6 5 0              2 4 2              3 2 0
  ×   1 0            ×   2 0            ×   3 0
  ─────────          ─────────          ─────────
```

❂ 각 자리를 맞추어 곱셈을 하시오.

$134 \times 20 = \boxed{0} \Rightarrow 134 \times 20 = 2\,6\,8\,0$

134×2

$123 \times 20 = \boxed{0}$

123×2

$279 \times 10 = \boxed{}$

279×1

$231 \times 30 = \boxed{}$

$121 \times 40 = \boxed{}$

$657 \times 10 = \boxed{}$

$132 \times 30 = \boxed{}$

$112 \times 40 = \boxed{}$

$413 \times 20 = \boxed{}$

```
    1 3 4              1 3 4
  ×   2 0    ➡      ×   2 0
  ─────────          ─────────
          0          2 6 8 0
```

1
C04

```
    3 1 2              7 3 6              1 2 3
  ×   2 0            ×   1 0            ×   3 0
  ─────────          ─────────          ─────────
          0
```

```
    5 2 9              2 1 2              4 3 1
  ×   1 0            ×   4 0            ×   2 0
  ─────────          ─────────          ─────────
```

오늘은 얼마나 잘했을까요?
칭찬 붙임 딱지를
붙여 주세요!

3 일차

(세 자리 수) × (두 자리 수)

🌷 동전을 붙이며 곱셈을 하시오.

준비물 ▶ 붙임 딱지

$$\begin{array}{r} 2\ 1\ 0 \\ \times\ \ \ 4\ 3 \\ \hline \end{array}$$

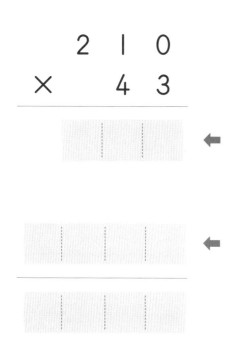

$$\begin{array}{r} 1\ 2\ 3 \\ \times\ \ \ 1\ 4 \\ \hline \end{array}$$

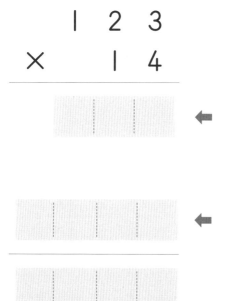

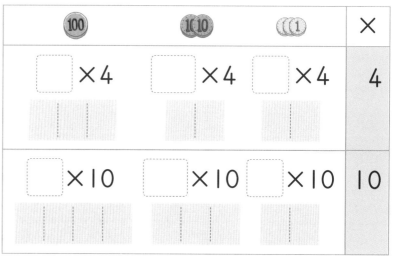

안에 알맞은 수를 써넣어 곱셈을 하시오.

○ 보기 ○

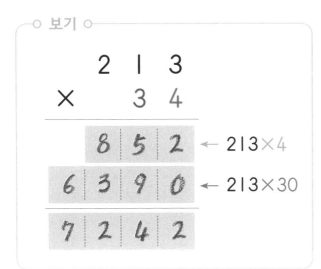

```
        2  1  3
     ×     3  4
   ─────────────
        8  5  2   ← 213×4
     6  3  9  0   ← 213×30
   ─────────────
     7  2  4  2
```

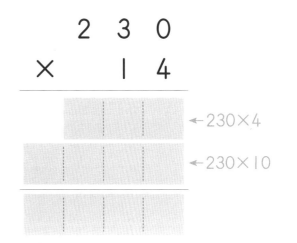

```
        2  3  0
     ×     1  4
   ─────────────
                  ← 230×4
                  ← 230×10
   ─────────────
```

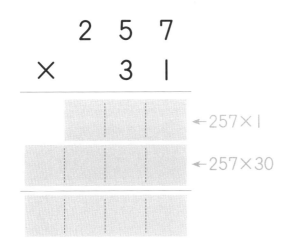

```
        2  5  7
     ×     3  1
   ─────────────
                  ← 257×1
                  ← 257×30
   ─────────────
```

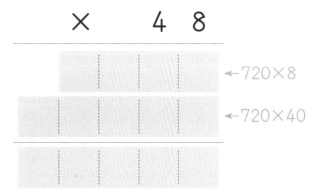

```
        7  2  0
     ×     4  8
   ─────────────
                  ← 720×8
                  ← 720×40
   ─────────────
```

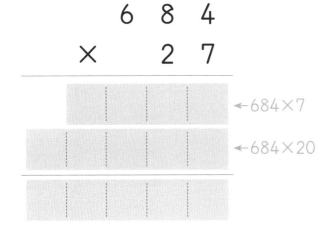

```
        6  8  4
     ×     2  7
   ─────────────
                  ← 684×7
                  ← 684×20
   ─────────────
```

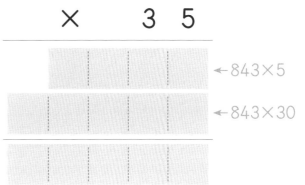

```
        8  4  3
     ×     3  5
   ─────────────
                  ← 843×5
                  ← 843×30
   ─────────────
```

1
C04

3
일차

👀 각 자리를 맞추어 곱셈을 하시오.

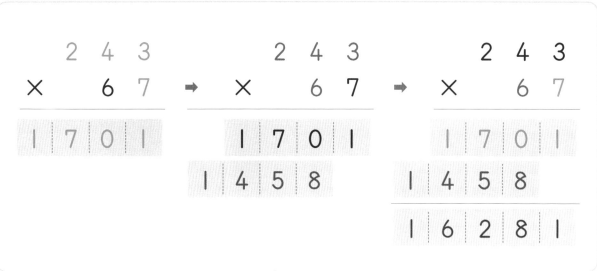

```
      2 4 3           2 4 3           2 4 3
  ×     6 7       ×     6 7       ×     6 7
  ─────────   ➡   ─────────   ➡   ─────────
  1 7 0 1         1 7 0 1         1 7 0 1
                  1 4 5 8         1 4 5 8
                                  ─────────
                                  1 6 2 8 1
```

```
      4 5 8                       5 3 4
  ×     3 4                   ×     4 3
  ─────────                   ─────────




  ─────────                   ─────────


```

```
      4 7 0                       7 1 9
  ×     3 6                   ×     6 4
  ─────────                   ─────────




  ─────────                   ─────────


```

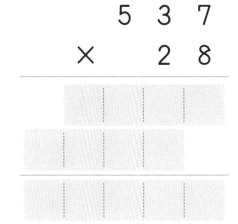

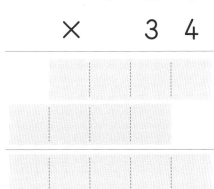

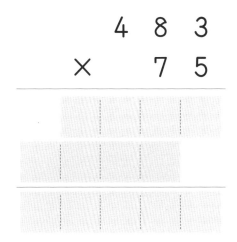

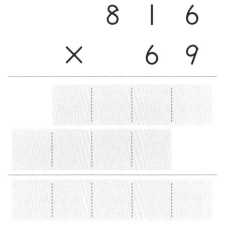

🔎 곱셈을 하시오.

```
    3 2 0              6 8 6              2 3 2
  ×   5 4            ×   3 2            ×   6 5
  ─────────          ─────────          ─────────
```

```
    5 3 4              4 3 7              6 2 4
  ×   4 6            ×   5 3            ×   7 6
  ─────────          ─────────          ─────────
```

```
    7 4 6              3 5 4              4 7 5
  ×   3 8            ×   4 9            ×   2 7
  ─────────          ─────────          ─────────
```

```
    5 6 9          3 9 2          4 4 6
  ×   4 2        ×   5 6        ×   7 3
  ─────────      ─────────      ─────────
```

1

C04


```
    4 8 4          8 4 3          5 7 7
  ×   3 7        ×   8 5        ×   6 9
  ─────────      ─────────      ─────────
```


```
    6 3 8          7 5 2          9 8 9
  ×   5 4        ×   7 6        ×   3 5
  ─────────      ─────────      ─────────
```

4 일차

나머지가 없는 나눗셈

🌷 물감을 칠하며 나눗셈을 하시오.

준비물 ▶ 붙임 딱지

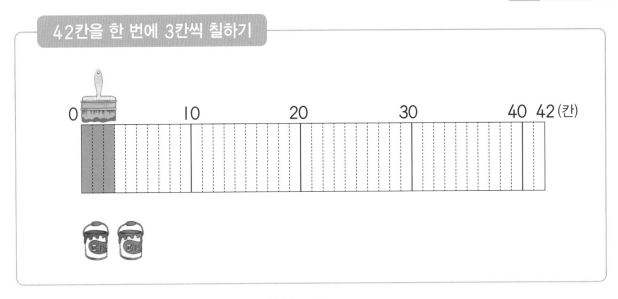

42칸을 한 번에 3칸씩 칠하기

➡ 색칠한 횟수 : $42 \div 3 =$ ⬚ (번)

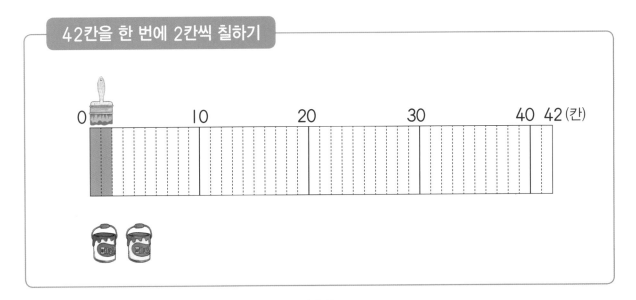

42칸을 한 번에 2칸씩 칠하기

➡ 색칠한 횟수 : $42 \div 2 =$ ⬚ (번)

420칸을 한 번에 30칸씩 칠하기

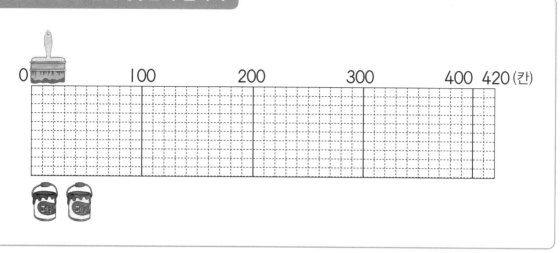

➡ 색칠한 횟수 : $420 \div 30 = \boxed{}$ (번)

420칸을 한 번에 20칸씩 칠하기

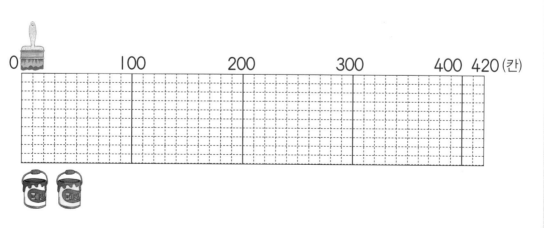

➡ 색칠한 횟수 : $420 \div 20 = \boxed{}$ (번)

오 (두 자리 수)÷(한 자리 수)를 계산하시오.

45÷3

$$
\begin{array}{r}
1 \\
3\,\overline{\big)\,4\;5} \\
3\;0 \quad \leftarrow 3\times10 \\
\hline
1\;5 \quad \leftarrow 45-30
\end{array}
$$

➡

$$
\begin{array}{r}
1\;5 \\
3\,\overline{\big)\,4\;5} \\
3\;0 \\
\hline
1\;5 \\
1\;5 \quad \leftarrow 3\times5 \\
\hline
0 \quad \leftarrow 15-15
\end{array}
$$

$$
3\,\overline{\big)\,5\;1}
$$

$$
5\,\overline{\big)\,6\;5}
$$

$$
2\,\overline{\big)\,4\;2}
$$

$2\overline{)36}$ $6\overline{)78}$ $4\overline{)48}$

$3\overline{)69}$ $7\overline{)98}$ $5\overline{)80}$

$4\overline{)56}$ $8\overline{)96}$ $2\overline{)74}$

🌻 (세 자리 수) ÷ (두 자리 수)를 계산하시오.

320÷20

```
          1
     ┌──────────
  20 │ 3  2  0
     │ 2  0  0   ← 20×10
     ├──────────
       1  2  0   ← 320−200
```

➡

```
          1  6
     ┌──────────
  20 │ 3  2  0
     │ 2  0  0
     ├──────────
       1  2  0
       1  2  0   ← 20×6
     ├──────────
             0   ← 120−120
```

```
     ┌──────────
  50 │ 6  5  0
```

```
     ┌──────────
  30 │ 4  5  0
```

```
     ┌──────────
  40 │ 5  6  0
```

```
     _____
20 ) 2 4 0
```

```
     _____
50 ) 8 5 0
```

```
     _____
30 ) 9 3 0
```

```
     _____
40 ) 6 4 0
```

```
     _____
70 ) 8 4 0
```

```
     _____
60 ) 9 0 0
```

```
     _____
50 ) 7 5 0
```

```
     _____
30 ) 6 9 0
```

```
     _____
20 ) 8 6 0
```

1

C04

5 일차

나머지가 있는 나눗셈

❁ 물감을 칠하며 나눗셈을 하시오.

준비물 ▶ 붙임 딱지

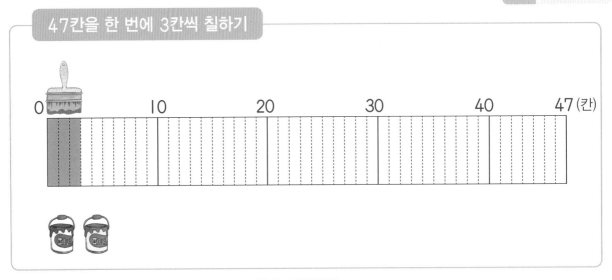

47칸을 한 번에 3칸씩 칠하기

┌ 색칠한 횟수 : $47 \div 3 =$ ⬜|⬜ (번)
└ 색칠하고 남은 칸 수 : ⬜ (개)

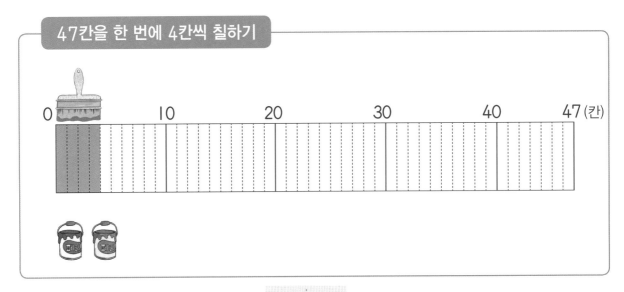

47칸을 한 번에 4칸씩 칠하기

┌ 색칠한 횟수 : $47 \div 4 =$ ⬜|⬜ (번)
└ 색칠하고 남은 칸 수 : ⬜ (개)

470칸을 한 번에 30칸씩 칠하기

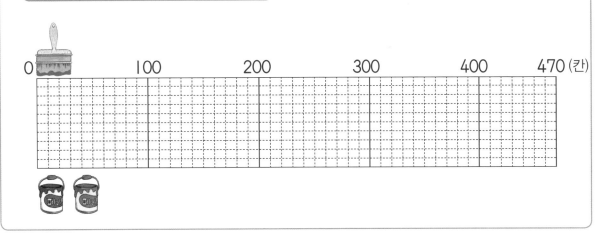

색칠한 횟수 : $470 \div 30 =$ (번)

색칠하고 남은 칸 수 :   (개)

470칸을 한 번에 40칸씩 칠하기

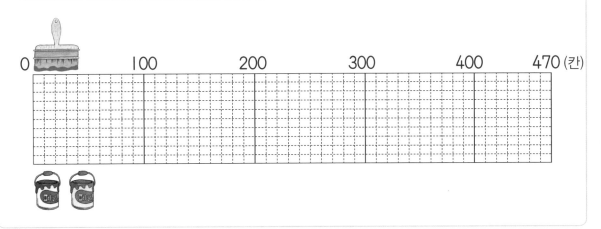

색칠한 횟수 : $470 \div 40 =$ (번)

색칠하고 남은 칸 수 :   (개)

오 (두 자리 수)÷(한 자리 수)를 계산하시오.

35÷2

```
      1                      1  7
  2) 3 5           ➡     2) 3 5
     2 0  ← 2×10           2 0
     ───                   ───
     1 5  ← 35-20          1 5
                           1 4  ← 2×7
                           ───
                             1  ← 15-14
```

```
  2) 3 1            4) 5 9            3) 3 8
```

1
C04

5$\overline{)68}$ 3$\overline{)65}$ 4$\overline{)49}$

6$\overline{)87}$ 2$\overline{)95}$ 5$\overline{)83}$

3$\overline{)50}$ 8$\overline{)92}$ 6$\overline{)75}$

⚘ (세 자리 수) ÷ (두 자리 수)를 계산하시오.

470÷30

```
          1
   30) 4 7 0
      3 0 0    ← 30×10
      1 7 0    ← 470-300
```

➡

```
          1 5
   30) 4 7 0
      3 0 0
      1 7 0
      1 5 0    ← 30×5
        2 0    ← 170-150
```

```
   30) 5 3 0




```

```
   50) 7 4 0




```

```
   20) 6 5 0




```

$$40 \overline{)\, 5\ 4\ 0}$$ $$30 \overline{)\, 8\ 2\ 0}$$ $$50 \overline{)\, 5\ 8\ 0}$$

1

C04

$$60 \overline{)\, 7\ 7\ 0}$$ $$20 \overline{)\, 5\ 9\ 0}$$ $$40 \overline{)\, 7\ 0\ 0}$$

$$50 \overline{)\, 8\ 7\ 0}$$ $$60 \overline{)\, 9\ 4\ 0}$$ $$30 \overline{)\, 8\ 6\ 0}$$

오늘은 얼마나 잘했을까요?
칭찬 붙임 딱지를
붙여 주세요!

큰 수의 곱셈과 나눗셈

연산 실력 체크

정답 수		/ 39개
날 짜	월	일

🐤 2~4주 사고력 연산을 학습하기 전에 기본 연산 실력을 점검해 보세요.

1.
```
    1 3 4
  ×     2
  -------
```

2.
```
    3 1 0
  ×     3
  -------
```

3.
```
    4 2 3
  ×     2
  -------
```

4.
```
    1 6 0
  ×     4
  -------
```

5.
```
    2 4 8
  ×     2
  -------
```

6.
```
    9 1 1
  ×     5
  -------
```

7.
```
    7 0 8
  ×     3
  -------
```

8.
```
    3 7 4
  ×     6
  -------
```

9.
```
    1 3 5
  ×     8
  -------
```

10.
```
    5 4 2
  ×     7
  -------
```

11.
```
    9 7 6
  ×     5
  -------
```

12.
```
    6 5 9
  ×     8
  -------
```

```
13.      5 3 7
       ×   1 0
       ─────────
```

```
14.      1 2 0
       ×   4 0
       ─────────
```

```
15.      2 1 3
       ×   3 0
       ─────────
```

```
16.      4 7 0
       ×   2 0
       ─────────
```

```
17.      6 1 4
       ×   3 0
       ─────────
```

```
18.      7 2 0
       ×   1 1
       ─────────
```

```
19.      3 4 2
       ×   2 1
       ─────────
```

```
20.      2 2 5
       ×   1 4
       ─────────
```

```
21.      4 3 1
       ×   3 2
       ─────────
```

```
22.      6 2 3
       ×   5 4
       ─────────
```

```
23.      8 0 4
       ×   7 5
       ─────────
```

```
24.      9 5 7
       ×   4 6
       ─────────
```

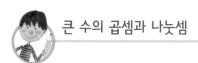

25.
$$3 \overline{)\ 6\ 9}$$

26.
$$2 \overline{)\ 3\ 2}$$

27.
$$4 \overline{)\ 7\ 6}$$

28.
$$6 \overline{)\ 9\ 0}$$

29.
$$3 \overline{)\ 4\ 3}$$

30.
$$5 \overline{)\ 6\ 4}$$

31.
$$4 \overline{)\ 7\ 4}$$

32.
$$2 \overline{)\ 5\ 7}$$

33.
$$7 \overline{)\ 9\ 4}$$

34.
$$40 \overline{)\ 5\ 2\ 0}$$

35.
$$30 \overline{)\ 6\ 3\ 0}$$

36.
$$50 \overline{)\ 7\ 5\ 0}$$

37. 30) 4 6 0

38. 60) 9 8 0

39. 40) 9 5 0

연산 실력 분석

오답 수에 맞게 학습을 진행하시기 바랍니다.

평가	오답 수	학습 방법
최고예요	0 ~ 2개	전반적으로 학습 내용에 대해 정확히 이해하고 있으며 매우 우수합니다. 기본 연산 문제를 자신 있게 풀 수 있는 실력을 갖추었으므로 이제는 사고력을 향상시킬 차례입니다. 2주차부터 차근차근 학습을 진행해 보세요. 학습 [2주차] → [3주차] → [4주차]
잘했어요	3 ~ 4개	기본 연산 문제를 전반적으로 잘 이해하고 풀었지만 약간의 실수가 있는 것 같습니다. 틀린 문제를 다시 한 번 풀어 보고, 문제를 차근차근 푸는 습관을 갖도록 노력해 보세요. 매스티안 홈페이지에서 제공하는 보충 학습으로 연산 실력을 향상시킨 후 2, 3, 4주차 학습을 진행해 주세요. 학습 [틀린 문제 복습] → [보충 학습] → [2주차] → ⋯
노력해요	5개 이상	개념을 정확하게 이해하고 있지 않아 연산을 하는데 어려움이 있습니다. 개념을 이해하고 연산 문제를 반복해서 연습해 보세요. 매스티안 홈페이지에서 제공하는 보충 학습이 연산 실력을 향상시키는데 도움이 될 것입니다. 여러분도 곧 연산왕이 될 수 있습니다. 조금만 힘을 내 주세요. 학습 [1주차 원리 중심 복습] → [보충 학습] → [2주차] → ⋯

매스티안 홈페이지 : www.mathtian.com

학습관리표

일 자			소요 시간	틀린 문항 수	확인
❶ 일차	월	일	:		
❷ 일차	월	일	:		
❸ 일차	월	일	:		
❹ 일차	월	일	:		
❺ 일차	월	일	:		

❷주

물건 값 구하기

🌷 사려고 하는 물건 전체의 가격을 ▨ 안에 써넣으시오.

풀 500원

$500 \times 3 =$ ▨ (원)

지우개 350원

$350 \times 4 =$ ▨ (원)

연필 210원

$210 \times 5 =$ ▨ (원)

공책 270원

$270 \times 6 =$ ▨ (원)

물감 380원

$380 \times 7 =$ ▨ (원)

44 · C04 큰 수의 곱셈과 나눗셈

색종이 640원

$640 \times 8 =$ (원)

가위 780원

$780 \times 6 =$ (원)

거울 840원

$840 \times 7 =$ (원)

붓 680원

$680 \times 9 =$ (원)

저금통 990원

$990 \times 5 =$ (원)

👤 사려고 하는 물건 전체의 가격을 ☐ 안에 써넣으시오.

계란 470원

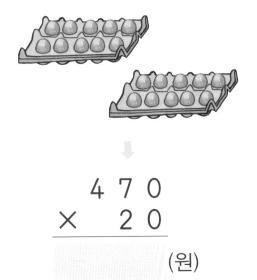

⬇

```
    4 7 0
  ×   2 0
```
☐ (원)

우유 830원

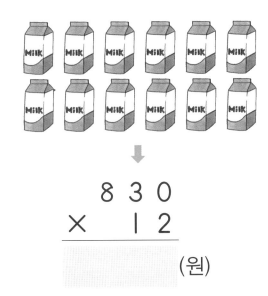

⬇

```
    8 3 0
  ×   1 2
```
☐ (원)

옥수수 660원

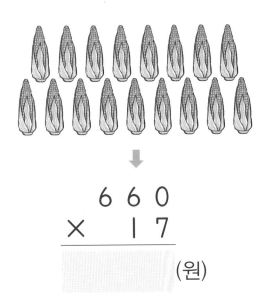

⬇

```
    6 6 0
  ×   1 7
```
☐ (원)

초콜릿 780원

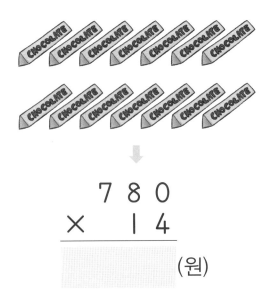

⬇

```
    7 8 0
  ×   1 4
```
☐ (원)

❀ 계산 결과가 더 큰 수를 따라갈 때, 먹을 수 있는 먹이에 ⭕표 하시오.

	170 × 8 **1360**	260 × 30	330 × 16
1260<1360			
180 × 7 **1260**	250 × 40	240 × 50	750 × 19
350 × 16	340 × 15	690 × 24	710 × 22
360 × 17	630 × 28	620 × 33	730 × 19

2
C04

2 일차

수 상자 셈

❧ ▨ 안에 알맞은 수를 써넣으시오.

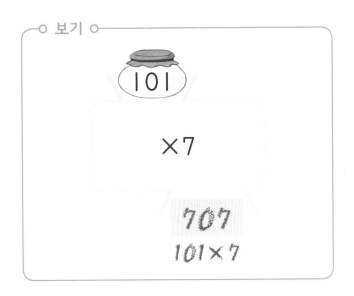

안에 알맞은 수를 써넣으시오.

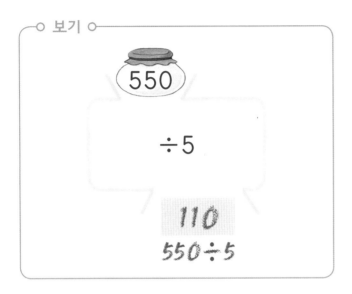

보기

550

÷5

110

550÷5

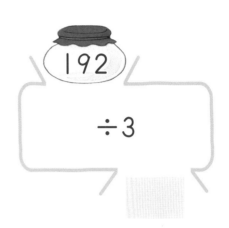

192

÷3

2

C04

136

÷4

522

÷6

664

÷8

882

÷9

♣ 안에 알맞은 수를 써넣으시오.

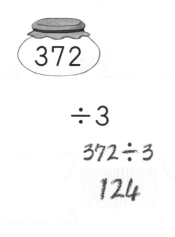

372

÷3

372÷3
124

×4

124×4

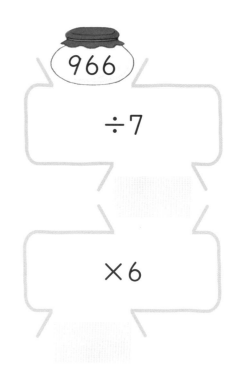

966

÷7

×6

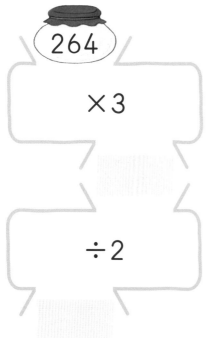

264

×3

÷2

108

×9

÷4

❖ 주어진 가로·세로 열쇠를 보고 퍼즐을 풀어보시오.

		㉠ 9			②	㉡	
① 1	3	7					
		5		③			
	㉢		㉣				㉤
⑤					④		

2

C04

가로 열쇠

① $3 \overline{)411}$ → 137

② $5 \overline{)875}$

③ $4 \overline{)824}$

④ $7 \overline{)896}$

⑤ $9 \overline{)576}$

세로 열쇠

㉠
$$\begin{array}{r} 195 \\ \times \quad 5 \\ \hline 975 \end{array}$$

㉡
$$\begin{array}{r} 189 \\ \times \quad 4 \\ \hline \end{array}$$

㉢
$$\begin{array}{r} 247 \\ \times \quad 4 \\ \hline \end{array}$$

㉣
$$\begin{array}{r} 119 \\ \times \quad 6 \\ \hline \end{array}$$

㉤
$$\begin{array}{r} 489 \\ \times \quad 2 \\ \hline \end{array}$$

오늘은 얼마나 잘했을까요?
칭찬 붙임 딱지를
붙여 주세요!

길이와 시간

🌷 ⬚ 안에 알맞은 수를 써넣으시오.

1 km $\xrightarrow[\div 1000]{\times 1000}$ 1000 m		1 m $\xrightarrow[\div 100]{\times 100}$ 100 cm

3 km $\xrightarrow{\times 1000}$ ⬚ m

2 km $\xrightarrow{\times 1000}$ ⬚ m $\xrightarrow{\times 100}$ ⬚ cm

5 km $\longrightarrow$ ⬚ m   7 km $\longrightarrow$ ⬚ cm

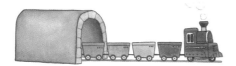

40000 m $\xrightarrow{\div 1000}$ ⬚ km

600000 cm $\xrightarrow{\div 100}$ ⬚ m $\xrightarrow{\div 1000}$ ⬚ km

$\underline{1\,\text{km}}\ 200\,\text{m} \longrightarrow \boxed{}\,\text{m}$
1000m

1000+200

$2\,\text{m}\ 50\,\text{cm} \longrightarrow \boxed{}\,\text{cm}$

2
C04

$3\,\text{km}\ 600\,\text{cm} \longrightarrow \boxed{}\,\text{cm}$

$7950\,\text{m} \longrightarrow \boxed{}\,\text{km}\ \boxed{}\,\text{m}$

$6440\,\text{cm} \longrightarrow \boxed{}\,\text{m}\ \boxed{}\,\text{cm}$

$123000\,\text{cm} \longrightarrow \boxed{}\,\text{km}\ \boxed{}\,\text{m}$

3
일차

안에 알맞은 수를 써넣으시오.

| 1일 $\xrightarrow[\div 24]{\times 24}$ 24시간 | 1시간 $\xrightarrow[\div 60]{\times 60}$ 60분 | 1분 $\xrightarrow[\div 60]{\times 60}$ 60초 |

120일 $\xrightarrow{\times 24}$ ☐ 시간

150시간 $\xrightarrow{\times 60}$ ☐ 분 $\xrightarrow{\times 60}$ ☐ 초

100일 $\longrightarrow$ ☐ 시간 $\longrightarrow$ ☐ 분

216시간 $\xrightarrow{\div 24}$ ☐ 일   720분 $\xrightarrow{\div 60}$ ☐ 시간

540초 $\longrightarrow$ ☐ 분

54 · C04 큰 수의 곱셈과 나눗셈

🌱 비행 시간을 나타낸 그림을 보고, 표를 완성하시오.

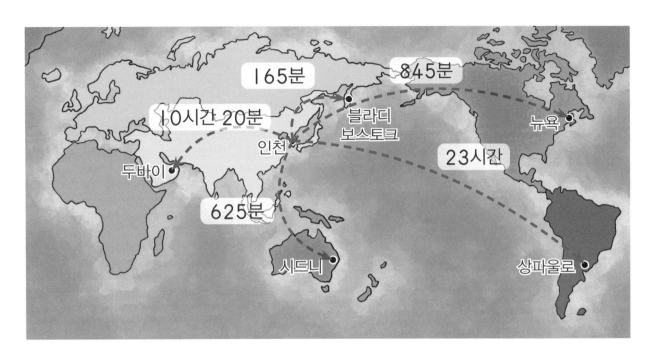

출발지	도착지	비행 시간	
인천	블라디 보스토크	시간	분
	두바이		분
	시드니	시간	분
	뉴욕	시간	분
	상파울로		분

2

C04

4 일차

저울 셈

❧ 양팔 저울이 수평을 이루도록 ▨ 안에 알맞은 수를 써넣으시오.

○ 보기 ○

● 의 무게 : 3

115개

115 × 3

🏋 = 345

● 의 무게 : 4

207개

🏋 =

207 × 4

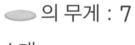

● 의 무게 : 7

241개

🏋 =

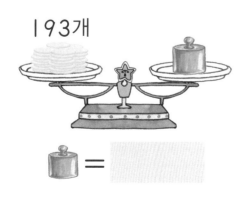

● 의 무게 : 8

193개

🏋 =

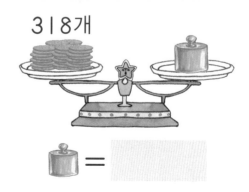

● 의 무게 : 9

318개

🏋 =

 의 무게 : 15

201개

 =

 의 무게 : 21

153개

 =

의 무게 : 34

368개

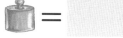 =

 의 무게 : 57

399개

 =

의 무게 : 79

587개

 =

🌸 양팔 저울이 수평을 이루도록 ⬜ 안에 알맞은 수를 써넣으시오.

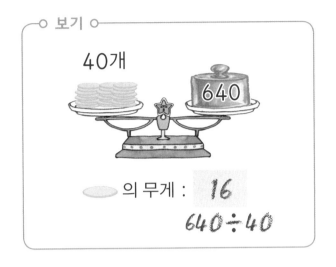

40개

640

⬬ 의 무게 : **16**

640÷40

32개

288

⬬ 의 무게 :

288÷32

45개

810

⬬ 의 무게 :

78개

936

⬬ 의 무게 :

53개

795

⬬ 의 무게 :

나눗셈의 몫을 그림에서 찾아 색칠하여 숨어 있는 그림을 찾아보시오.

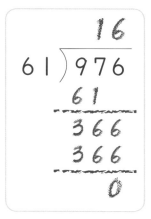

$$61\overline{)976}$$ 몫 16

$$39\overline{)546}$$

$$15\overline{)390}$$

$$22\overline{)462}$$

$$52\overline{)312}$$

$$69\overline{)483}$$

$$91\overline{)364}$$

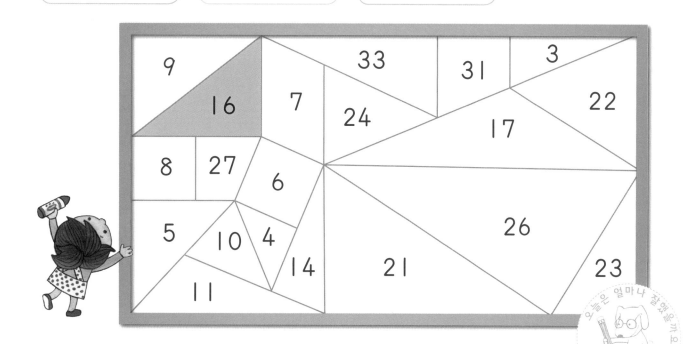

2
C04

5
일차

만들 수 있는 개수

🌷 주어진 성냥개비로 각각의 모양을 몇 개씩 만들 수 있는지 📗 안에 써넣으시오.

○ 보기 ○

252개

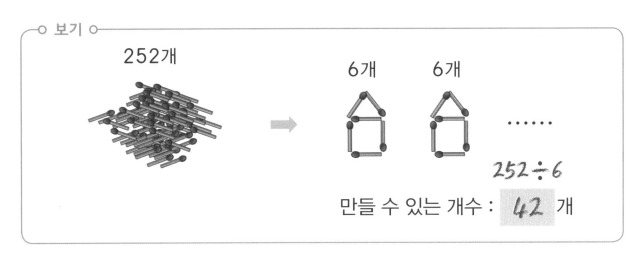

6개　　　6개

⋯⋯

$252 \div 6$

만들 수 있는 개수 : 42 개

232개

8개　　　8개

⋯⋯

$232 \div 8$

만들 수 있는 개수 : 　　 개

143개

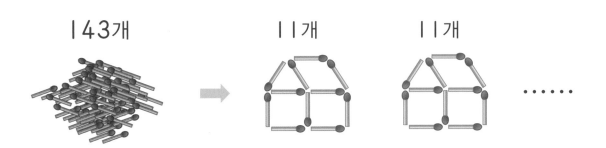

11개　　　11개

⋯⋯

만들 수 있는 개수 : 　　 개

성냥개비 980개

10개   10개

    ……

만들 수 있는 개수 :   개

성냥개비 352개

16개   16개

    ……

만들 수 있는 개수 :   개

성냥개비 888개

24개   24개

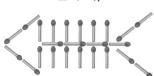      ……

만들 수 있는 개수 :   개

성냥개비 902개

22개   22개

   ……

만들 수 있는 개수 :   개

성냥개비 799개

17개   17개

    ……

만들 수 있는 개수 :   개

주어진 블록으로 각각의 모양을 몇 개씩 만들 수 있는지 ☐ 안에 써넣으시오.

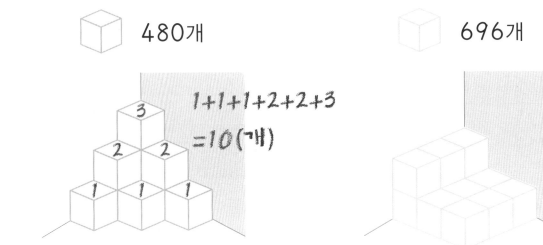

☐ 480개

1+1+1+2+2+3
=10(개)

만들 수 있는 개수 : ☐ 개

480÷10

☐ 696개

만들 수 있는 개수 : ☐ 개

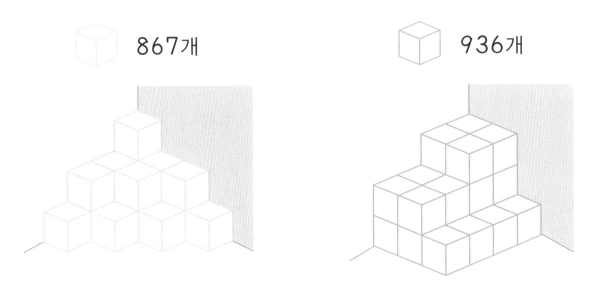

☐ 867개

만들 수 있는 개수 : ☐ 개

☐ 936개

만들 수 있는 개수 : ☐ 개

❖ 나눗셈의 몫이 쓰여 있는 칸을 찾아 해당하는 글자를 써넣고 수수께끼를 해결해 보시오.

```
      1 3
21 ) 2 7 3
     2 1
     ─────
       6 3
       6 3
     ─────
         0
```
보

```
44 ) 4 8 4
```
기

```
1 9 ) 5 5 1
```
실

2
C04

```
2 6 ) 6 7 6
```
으

```
7 8 ) 3 1 2
```
내

```
9 9 ) 7 9 2
```
면

수수께끼

13	4	11	29	26	8
보					

?

답 ➡

오늘은 얼마나 잘했을까요?
칭찬 붙임 딱지를 붙여 주세요!

학습관리표

일 자			소요 시간	틀린 문항 수	확인
❶ 일차	월	일	:		
❷ 일차	월	일	:		
❸ 일차	월	일	:		
❹ 일차	월	일	:		
❺ 일차	월	일	:		

③주

🌷 규칙을 찾아 곱셈을 하시오.

× (몇십 1)

51개
120+120+…+120+120

50개
120+120+…+120+120+120

120×51	=	120×50 +120
	=	6000 +120
	=	6120

$140×51 = 140 × 50 + 140$

$= 7000 + 140$

$=$

$150×21 =$ 　　　　　　$400×41 =$

$320×31 =$ 　　　　　　$610×51 =$

$120×71 =$ 　　　　　　$550×81 =$

× (몇십 9)

49개
120+120+…+120+120

50개
120+120+…+120+120+1̶2̶0

$$120 \times 49 \quad = \quad 120 \times 50 \quad -120$$
$$= \quad 6000 \quad -120$$
$$= \quad 5880$$

$150 \times 49 = $ **150 × 50 − 150**

$= $ **7500 − 150**

$=$

3

C04

$170 \times 9 = $

$500 \times 89 = $

$210 \times 29 = $

$710 \times 19 = $

$250 \times 39 = $

$470 \times 99 = $

♣ 규칙을 찾아 곱셈을 하시오.

5×2, 25×4, 125×8 만들어 곱하기

$$126×5=63×2×5$$
$$63 \quad 2 \qquad =63×10$$
$$=630$$

$$25×8=25×4×2$$
$$4 \quad 2 \qquad =100×2$$
$$=200$$

$$16×125=2×8×125$$
$$2 \quad 8 \qquad =2×1000$$
$$=2000$$

$$118×5 \quad = \quad 59 × 2 × 5$$
$$59 \quad 2 \qquad = \qquad ×$$
$$=$$

$$192×25 \quad =$$
$$48 \quad 4$$

$$72×125 \quad =$$
$$9 \quad 8$$

$$302×5 \quad =$$

$$492×25 \quad =$$

$$244×25 \quad =$$

$$88×125 \quad =$$

✿ 다음 시험지를 제한 시간 **5분** 안에 계산하시오.

수학	큰 수의 곱셈	점수	
	학교 학년 반 이름		

1. 101×49

2. 303×29

3. 145×21

4. 224×51

5. 305×91

6. 268×5

7. 124×25

8. 584×25

9. 56×125

10. 96×125

3

C04

오늘은 얼마나 잘했을까요?
칭찬 붙임 딱지를 붙여 주세요!

2 벌레먹은 셈

일차

🌷 ⬚ 안에 알맞은 숫자를 써넣으시오.

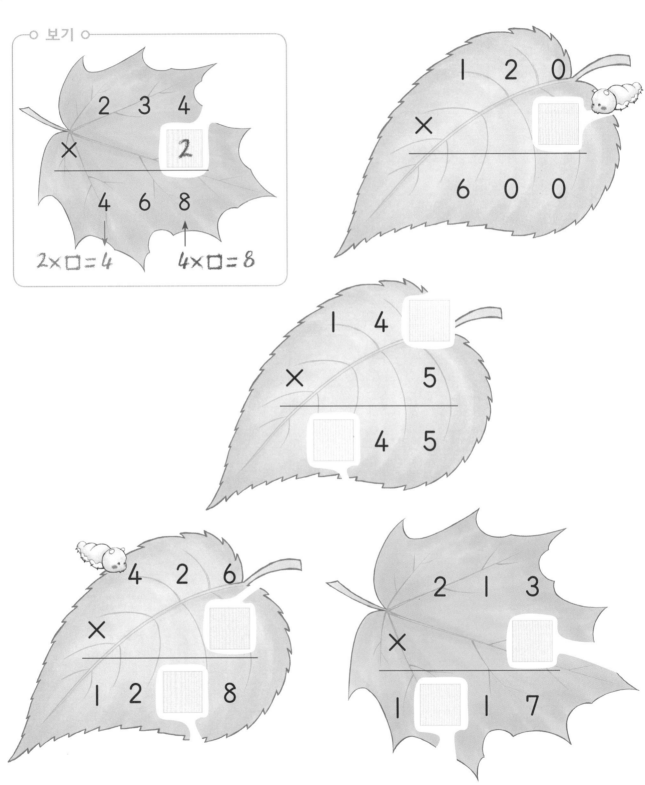

○ 보기 ○

```
  2 3 4
      [2]
×
─────────
  4 6 8
  ↑     ↑
2×□=4   4×□=8
```

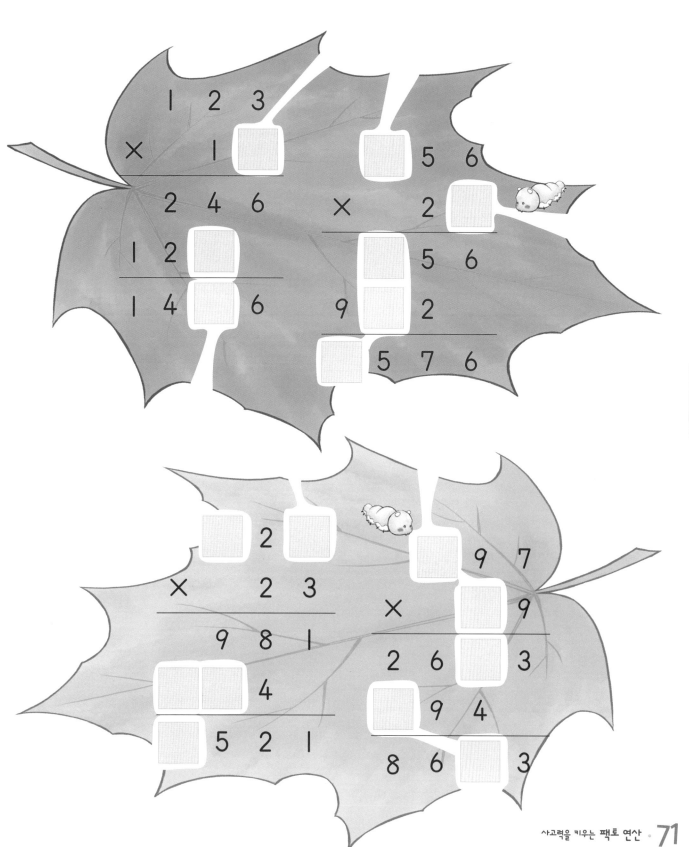

3
C04

2 일차

✿ ▨ 안에 알맞은 숫자를 써넣으시오.

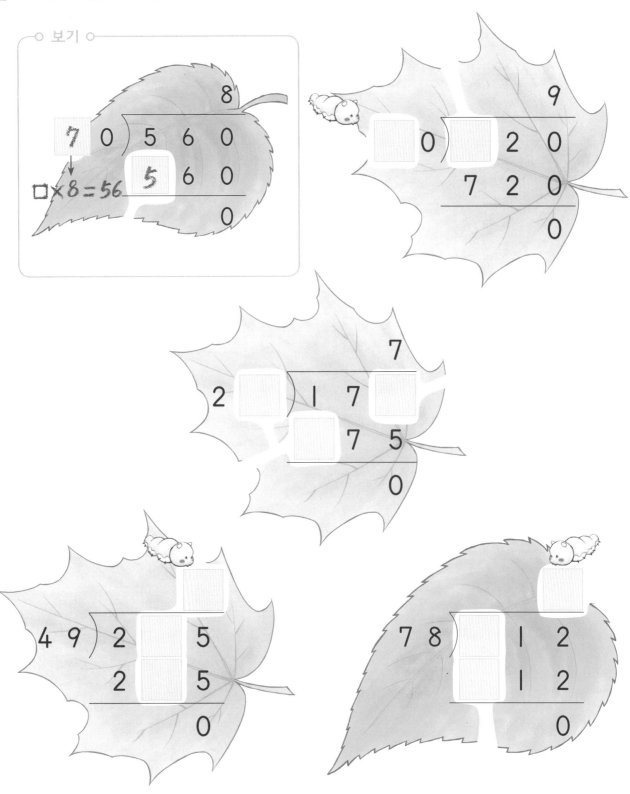

○ 보기 ○

```
         8
7 0 ) 5 6 0
□×8=56  5 6 0
          0
```

```
      9
□ 0 )  2  0
   7  2  0
         0
```

```
        7
2 □ ) 1 7 □
    □ 7 5
        0
```

```
49 ) 2 □ 5
    2 □ 5
        0
```

```
78 ) □ 1 2
    □ 1 2
        0
```

$$12\ \overline{)\ \square\,3\,\square}$$
quotient: $\square\ 6$
$$\begin{array}{r}3\ 6\\\hline 7\ \square\\7\\\hline 0\end{array}$$

$$38\ \overline{)\ 7\ 8}$$
quotient: $\square\ 1\ \square$
$$\begin{array}{r}7\ 6\\\hline \square\ \square\\3\ 8\\\hline 0\end{array}$$

$$\square\ 4\ \overline{)\ 9\ 3\ 6}$$
$$\begin{array}{r}7\ \square\\\hline \square\ 1\ 6\\1\ 6\\\hline 0\end{array}$$

$$\square\ 2\ \overline{)\ \square\ 0}$$
quotient: $1\ \square$
$$\begin{array}{r}6\ \square\\\hline 1\ 8\\1\ 8\ \square\\\hline 0\end{array}$$

3
C04

3
일차

고대 이집트 곱셈과 나눗셈

❧ 규칙을 찾아 곱셈을 하시오.

고대 이집트 곱셈

125×17	➡	125×17	➡	$125 \times 17 = 2125$

125	1	125	1 ✓	125	1 ✓
250	2	250	2	250	2
500	4	500	4	500	4
1000	8	1000	8	1000	8
2000	16	2000	16 ✓	2000	16 ✓
⋮	⋮	⋮	⋮	⋮	⋮

×2 (125, 250, 500, 1000, 2000)   ×2 (1, 2, 4, 8, 16)

$1 + 16 = 17$

$125 + 2000 = 2125$

125 아래에는 125를, 17 아래에는 1을 쓰고, 2씩 곱한 수를 차례로 씁니다.

오른쪽 수 중 더해서 17이 되는 수의 옆에 ✓표를 합니다.

✓표 한 줄의 왼쪽 수를 모두 더합니다.

$145 \times 9 = $		$230 \times 18 = $	
145	1 ✓	230	1
290	2	460	2 ✓
580	4	920	4
1160	8 ✓	1840	8
		3680	16 ✓

145 + 1160

=

___ + ___

=

$112 \times 20 =$

112	1	∨
224	2	∨
448	4	∨
896	8	∨
1792	16	∨

　　+　　

=

$241 \times 22 =$

241	1	∨
	2	∨
	4	∨
	8	∨
	16	∨

　　+　　+　　

=

3
C04

$305 \times 14 =$

| 305 | 1 |

$420 \times 24 =$

♀ 규칙을 찾아 나눗셈을 하시오.

고대 이집트 나눗셈

$217 \div 18$ ➡ $217 \div 18$ ➡ $217 \div 18$

	×2		1	18	×2
			2	36	
			4	72	
			8	144	

⋮ ⋮

18 아래에는 18을,
217 아래에는 1을
쓰고, 2씩 곱한 수를
차례로 씁니다.

1	18
2	36
4	72 ✓
8	144 ✓

⋮ ⋮

$217 = 144 + 72 + 1$

➡ 나머지 : 1

오른쪽 수 중 더해서
217에 가장 가까운
수가 되는 수의 옆에
✓표를 하고, 217에서
✓표 한 수들의 합을
빼면 나머지입니다.

1	18
2	36
4	72 ✓
8	144 ✓

⋮ ⋮

$217 = 144 + 72 + 1$

➡ 몫 : $4 + 8 = 12$
➡ 나머지 : 1

✓표 한 줄의 왼쪽 수
를 모두 더한 수가 몫
입니다.

$108 \div 21$

1	21 ✓
2	42
4	84 ✓

$108 = \boxed{84} + \boxed{21} + 3$

➡ 몫 : ☐ + ☐ = ☐

➡ 나머지 : ☐

$167 \div 33$

1	33 ✓
2	66
4	132 ✓

$167 = ☐ + ☐ + ☐$

➡ 몫 : ☐ + ☐ = ☐

➡ 나머지 : ☐

$659 \div 72$

1	72 ∨
2	144 ∨
4	288 ∨
8	576 ∨

$659 =$ ☐ $+$ ☐ $+$ ☐

➡ 몫 : ☐ $+$ ☐ $=$ ☐

➡ 나머지 : ☐

$480 \div 45$

1	☐ ∨
2	☐ ∨
4	☐ ∨
8	☐ ∨

$480 =$ ☐ $+$ ☐ $+$ ☐

➡ 몫 : ☐ $+$ ☐ $=$ ☐

➡ 나머지 : ☐

3

C04

$920 \div 65$

➡ 몫 : ☐

➡ 나머지 : ☐

$732 \div 54$

➡ 몫 : ☐

➡ 나머지 : ☐

오늘은 얼마나 잘했을까요?
칭찬 붙임 딱지를
붙여 주세요!

4 일차 문살과 네이피어 곱셈

🌷 문살 곱셈을 하여 ⬜ 안에 알맞은 수를 써넣으시오.

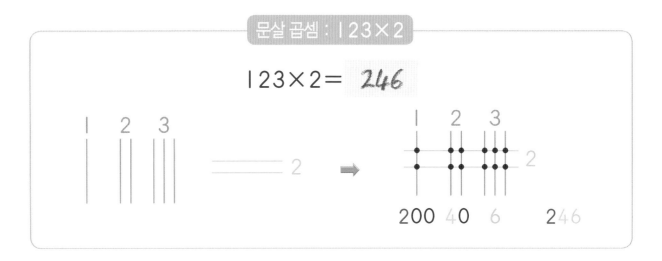

문살 곱셈 : 123×2

123×2= **246**

| 2 | 3

―――――― 2 ➡

| 2 3
2
200 40 6   246

132×3=

| 3 2
3
300 90 6

324×4=

3 2 4
4

423×5=

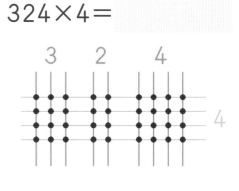

4 2 3

112×12＝ _____

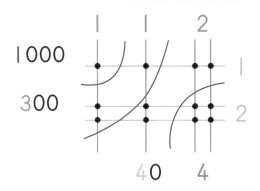

124×21＝ _____

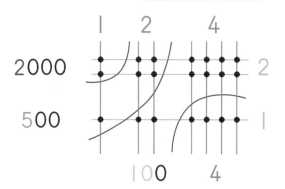

322×14＝ _____

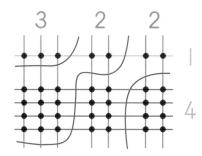

3

C04

213×15＝ _____

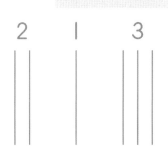

432×31＝ _____

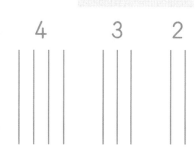

네이피어 곱셈을 하여 ☐ 안에 알맞은 수를 써넣으시오.

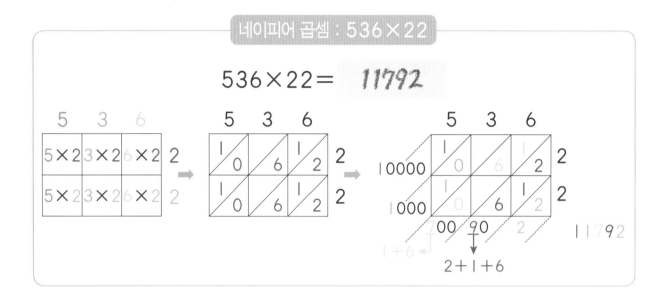

네이피어 곱셈 : 536×22

$$536 \times 22 = 11792$$

$312 \times 4 =$

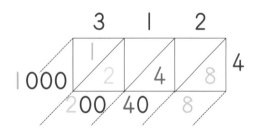

$189 \times 5 =$

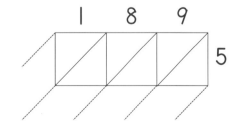

$234 \times 8 =$

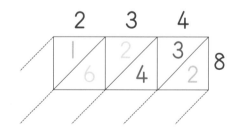

147×28 =

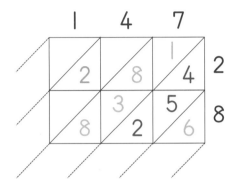

359×42 =

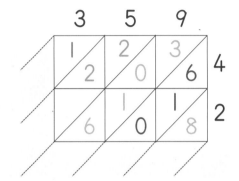

643×72 =

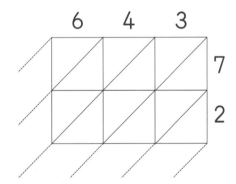

3

C04

569×81 =

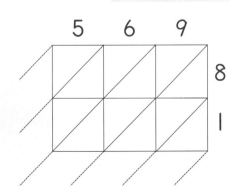

734×56 =

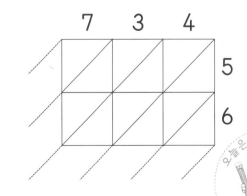

5 일차

규칙 셈

🌷 규칙을 찾아 주어진 순서에 나오는 도형을 찾아보시오.

마디 : 3

나머지 : 1   2   0

• 13째 번 도형은 13÷3의 나머지가 1 ➡ (●, ▲, ■)

• 14째 번 도형은 14÷3의 나머지가   ➡ (●, ▲, ■)

• 18째 번 도형은 18÷3의 나머지가   ➡ (●, ▲, ■)

마디 : 4

나머지 : 1   2   3   0

• 15째 번 도형은 15÷4의 나머지가   ➡ (★, ●, ■, ▲)

• 26째 번 도형은 26÷4의 나머지가   ➡ (★, ●, ■, ▲)

• 45째 번 도형은 45÷4의 나머지가   ➡ (★, ●, ■, ▲)

마디 : 2

$29 \div 2 = 14 \cdots 1$

➡ 29째 번 도형 :

➡ 35째 번 도형 :

➡ 47째 번 도형 :

➡ 84째 번 도형 :

➡ 100째 번 도형 :

규칙을 찾아 　 안에 알맞게 써넣으시오.

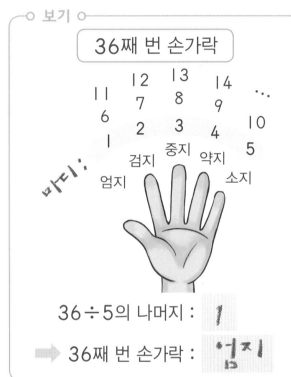

― 보기 ―

36째 번 손가락

36÷5의 나머지 : 1

➡ 36째 번 손가락 : 엄지

75째 번 손가락

75÷5의 나머지 :

➡ 75째 번 손가락 :

139째 번 손가락

139÷10의 나머지 :

➡ 139째 번 손가락 :

188째 번 손가락

188÷10의 나머지 :

➡ 188째 번 손가락 :

356째 번 손가락

··· 15 14
9 10 11 12 13
8 7 6
2 3 4 5
1

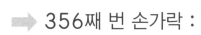

➡ 356째 번 손가락 :

477째 번 손가락

··· 16 15
10 11 12 13 14
9 8 7 6
1 2 3 4 5

➡ 477째 번 손가락 :

3

C04

956째 번 손가락

23 24 25   26 27 28
22
21 18 17 16   15 14 13 29
19   3 4 5   6 7 8   12 ···
20 2   9 11
1   10

➡ 956째 번 손가락 :

C04
큰 수의 곱셈과 나눗셈

일 자			소요 시간	틀린 문항 수	확인
❶ 일차	월	일	:		
❷ 일차	월	일	:		
❸ 일차	월	일	:		
❹ 일차	월	일	:		
❺ 일차	월	일	:		

학습관리표

4주

1 일차 복면산

🌷 ▨ 안에 알맞은 숫자를 써넣으시오. (단, 같은 모양은 같은 숫자를 나타냅니다.)

보기

$$
\begin{array}{r}
4\ \text{[face]}\ 3 \\
\times \qquad \text{[face]} \\
\hline
8\ \ 4\ \ 6
\end{array}
$$

2×2=4

[face] = 2 →

$$
\begin{array}{r}
4\ 2\ 3 \\
\times \qquad 2 \\
\hline
8\ 4\ 6
\end{array}
$$

$$
\begin{array}{r}
3\ \ 1\ \ 4 \\
\times \qquad \text{[face]} \\
\hline
6\ \ \text{[face]}\ \ 8
\end{array}
$$

[face] = ▢

$$
\begin{array}{r}
1\ \ 2\ \ \text{[face]} \\
\times \qquad \text{[face]} \\
\hline
3\ \ 6\ \ 9
\end{array}
$$

[face] = ▢

$$
\begin{array}{r}
\text{[face]}\ \ 1\ \ \text{[face]} \\
\times \qquad\quad 2 \\
\hline
1\ \ 4\ \ 3\ \ 4
\end{array}
$$

[face] = ▢

$$
\begin{array}{r}
\text{[face]}\ \ 6\ \ 3 \\
\times \qquad\ \text{[face]} \\
\hline
2\ \ 8\ \ 1\ \ \text{[face]}
\end{array}
$$

[face] = ▢

2 4 1
× 1
———
4 8
 4 1
———
 8 9

 = ☐

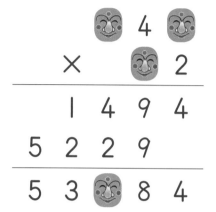 4
× 2
———
1 4 9 4
5 2 2 9
———
5 3 8 4

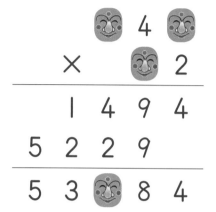 = ☐

1 1
×
———
7
9 0
———
7 4 7

 = ☐ , = ☐

4 5
×
———
7 3
9 1
———
1 1 8 5

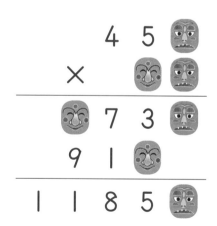 = ☐ , = ☐

4
C04

👤 ▨ 안에 알맞은 숫자를 써넣으시오. (단, 같은 모양은 같은 숫자를 나타냅니다.)

보기

$$6 \times 2 = 12$$

😠) 1 😠 8 → 😠 = 6 → 6) 1 6 8

```
        2 8                          2 8
  😠 ) 1 😠 8                  6 ) 1 6 8
6×2= 1 2                          1 2
      4 8                          4 8
      4 8                          4 8
        0                            0
```

```
        4 😠
  😠 ) 2 7 😠
      2 4
        3 😠
        3 😠
          0
```
😠 = ▢

```
          😠 7
    4 ) 3 4 😠
        3 2
          2 😠
          2 😠
            0
```
😠 = ▢

```
          😠 😠
  😠 ) 8 😠 1
      8 1
        8 1
        8 1
          0
```
😠 = ▢

$$4\ 1\ )\ 3\ 6$$
$$\quad\quad\ 3\ 6$$
$$\quad\quad\quad\ 0$$

 =

 2) 1 6 → 3
1 6
0

=

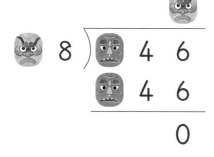 8) 4 6
4 6
0

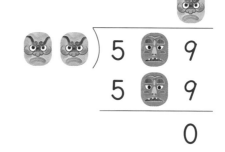) 5 9
5 9
0

= , =

= , =

4

C04

가장 큰 값

❦ 숫자 카드를 한 번씩 사용하여 계산 결과가 **가장 큰 값**이 되도록 만들어 보시오.

온라인 활동지

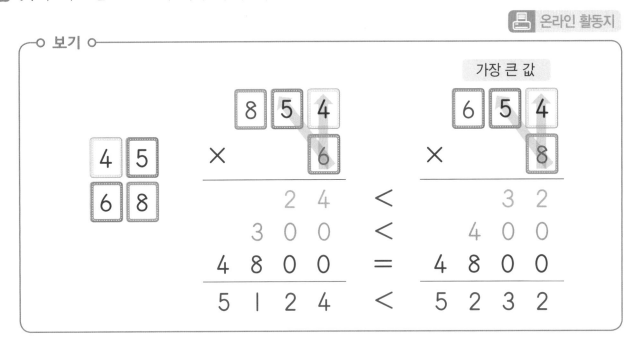

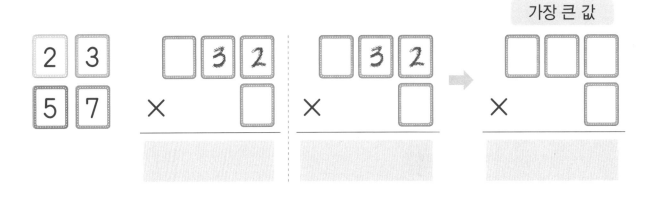

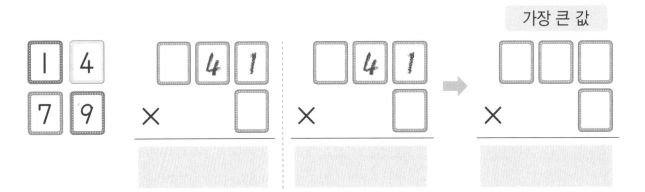

1 3
6 8

가장 큰 값

□ □ □
× □

2 4
5 8

가장 큰 값

□ □ □
× □

3 5
6 7

가장 큰 값

□ □ □
× □

1 3
3 5

가장 큰 값

□ □ □
× □

0 2
6 9

가장 큰 값

□ □ □
× □

4
C04

숫자 카드를 한 번씩 사용하여 계산 결과가 **가장 큰 값**이 되도록 만들어 보시오.

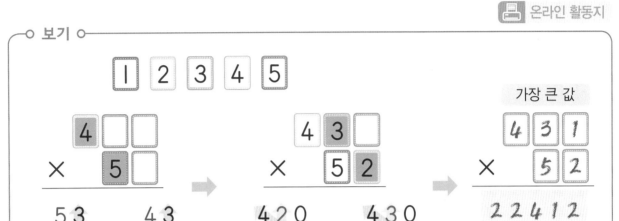

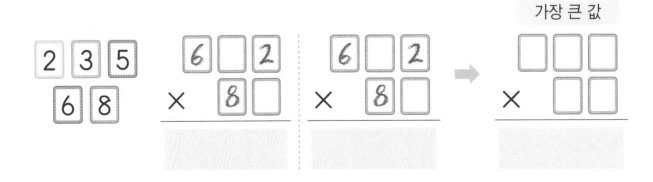

가장 큰 값

2	3	5

8 9

$$\begin{array}{ccc} \square & \square & \square \\ \times & \square & \square \end{array}$$

가장 큰 값

1	3	6

7 9

$$\begin{array}{ccc} \square & \square & \square \\ \times & \square & \square \end{array}$$

가장 큰 값

1	1	5

6 6

$$\begin{array}{ccc} \square & \square & \square \\ \times & \square & \square \end{array}$$

4

C04

가장 큰 값

1	2	8

8 9

$$\begin{array}{ccc} \square & \square & \square \\ \times & \square & \square \end{array}$$

가장 큰 값

0	2	3

4 6

$$\begin{array}{ccc} \square & \square & \square \\ \times & \square & \square \end{array}$$

신기한 곱셈

🌷 계산하지 않고 규칙을 찾아 　　 안에 알맞은 수를 써넣으시오.

$0 \times 9 + 1 = 1$

$1 \times 9 + 2 = 11$

$12 \times 9 + 3 = 111$

$123 \times 9 + 4 = 1111$

$1234 \times 9 + 5 = 11111$

$12345 \times 9 + 6 = $

$123456789 \times 9 = 1111111101$

$123456789 \times 18 = 2222222202$

$123456789 \times 27 = 3333333303$

$123456789 \times 36 = 4444444404$

$123456789 \times 45 = $

$123456789 \times 54 = $

$6 \times 7 = 42$

$66 \times 67 = 4422$

$666 \times 667 = 444222$

$6666 \times 6667 = 44442222$

$66666 \times 66667 = $

$666666 \times 666667 = $

$2 \times 9 = 18$

$22 \times 9 = 198$

$222 \times 9 = 1998$

$2222 \times 9 = 19998$

$22222 \times 9 = $

$222222 \times 9 = $

$1×8+1=9$

$12×8+2=98$

$123×8+3=987$

$1234×8+4=9876$

$12345×8+5=$

$123456×8+6=$

$1×1=1$

$11×11=121$

$111×111=12321$

$1111×1111=1234321$

$11111×11111=$

$111111×111111=$

$999999×2=1999998$

$999999×3=2999997$

$999999×4=3999996$

$999999×5=4999995$

$999999×6=$

$999999×7=$

계산하지 않고 규칙을 찾아 ▨ 안에 알맞은 수를 써넣으시오.

$5 \times 5 = 25$

$\quad\quad\quad 1 \times 2$

$15 \times 15 = 225$

$\quad\quad\quad 2 \times 3$

$25 \times 25 = 625$

$\quad\quad\quad 3 \times 4$

$35 \times 35 = 1225$

$45 \times 45 = \boxed{2\ 0\ 2\ 5}$

$\quad\quad\quad 4 \times 5$

$\vdots$

$145 \times 145 = $

$8 \times 9 = 72$

$88 \times 99 = 8712$

$888 \times 999 = 887112$

$8888 \times 9999 = 88871112$

$88888 \times 99999 = $

$\vdots$

$8888888 \times 9999999 = $

$35 \times 35 = 1225$

$335 \times 335 = 112225$

$3335 \times 3335 = 11122225$

$33335 \times 33335 = 1111222225$

$333335 \times 333335 = $

$\vdots$

$333333335 \times 333333335 = $

$105 \times 999 = 104895$

$115 \times 999 = 114885$

$125 \times 999 = 124875$

$135 \times 999 = 134865$

$145 \times 999 =$

⋮

$195 \times 999 =$

$142857 \times 1 = 142857$

$142857 \times 2 = 285714$

$142857 \times 3 = 428571$

$142857 \times 4 = 571428$

$142857 \times 5 =$

$142857 \times 6 =$

$4 \times 9 = 3|6$

$24 \times 99 = 23|76$

$524 \times 999 = 523|476$

$7524 \times 9999 = 7523|2476$

$67524 \times 99999 =$

⋮

$1367524 \times 9999999 =$

4

C04

4 일차 가장 작은 값

🌷 숫자 카드를 한 번씩 사용하여 계산 결과가 **가장 작은 값**이 되도록 만들어 보시오.

🖨 온라인 활동지

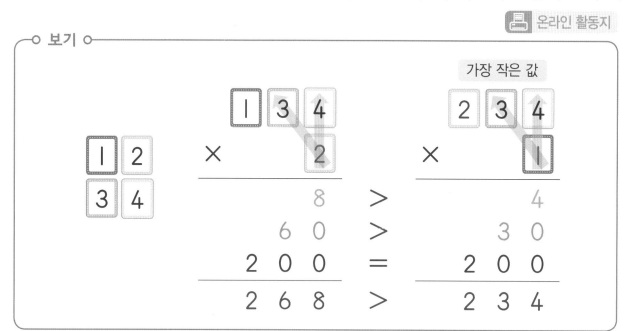

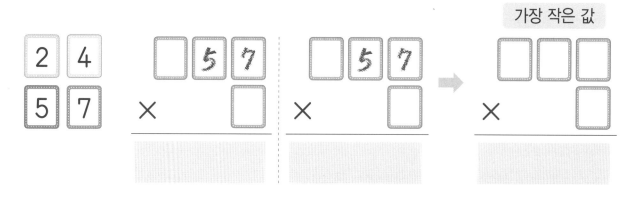

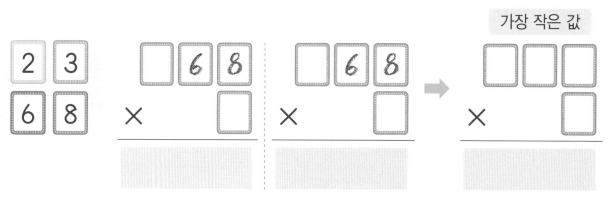

가장 작은 값

1 3
5 6

□ □ □
× □

가장 작은 값

4 6
8 9

□ □ □
× □

가장 작은 값

3 5
7 9

□ □ □
× □

가장 작은 값

2 4
4 9

□ □ □
× □

가장 작은 값

3 3
5 7

□ □ □
× □

4

C04

😀 숫자 카드를 한 번씩 사용하여 계산 결과가 **가장 작은 값**이 되도록 만들어 보시오.

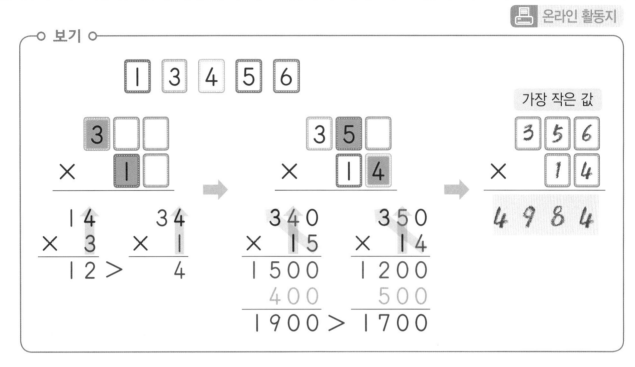

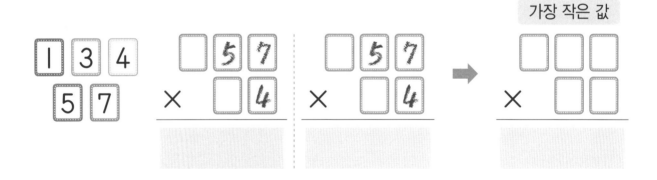

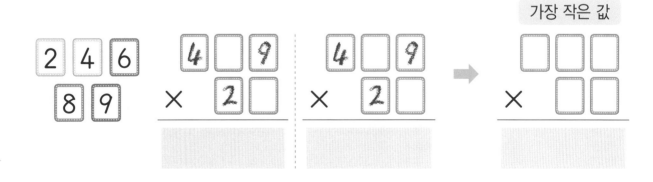

가장 작은 값

1 2 3
6 9

☐☐☐
× ☐☐

가장 작은 값

3 4 5
7 8

☐☐☐
× ☐☐

가장 작은 값

1 3 4
4 5

☐☐☐
× ☐☐

가장 작은 값

2 6 6
8 9

☐☐☐
× ☐☐

가장 작은 값

0 5 6
7 8

☐☐☐
× ☐☐

4
C04

조건에 맞는 수

🌷 숫자 카드를 한 번씩 사용하여 조건을 만족하는 (세 자리 수)×(두 자리 수) 곱셈
식을 쓰고 답을 구하시오.

🖨 온라인 활동지

조건
주어진 숫자 카드로 만들 수 있는 가장 큰
세 자리 수와 가장 작은 두 자리 수의 곱
입니다.

➡

	8	6	5
×		1	4

조건
주어진 숫자 카드로 만들 수 있는 가장 큰
세 자리 수와 가장 작은 두 자리 수의 곱입
니다.

➡

×			

조건
주어진 숫자 카드로 만들 수 있는 가장 작
은 세 자리 수와 가장 큰 두 자리 수의 곱입
니다.

➡

×			

조건
- 세 자리 수에서 각 자리 숫자는 일, 십, 백의 자리 순서로 2씩 커집니다.
- 계산 결과의 일의 자리 숫자는 4입니다.

조건
- 세 자리 수에서 각 자리 숫자는 백, 십, 일의 자리 순서로 3씩 커집니다.
- 계산 결과의 일의 자리 숫자는 0입니다.

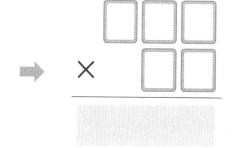

4

C04

조건
- 세 자리 수의 백의 자리 숫자에서 십의 자리 숫자를 빼면 7입니다.
- 두 자리 수는 7로 나누어떨어집니다.
- 계산 결과의 일의 자리 숫자는 0입니다.

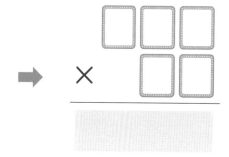

숫자 카드를 한 번씩 사용하여 **조건**을 만족하는 (세 자리 수)÷(두 자리 수) 나눗셈식을 쓰고 몫과 나머지를 각각 구하시오.

온라인 활동지

| 조건 | 주어진 숫자 카드로 만들 수 있는 가장 큰 세 자리 수와 가장 작은 두 자리 수의 나눗셈입니다. |

➡

몫 :　　　　, 나머지 :

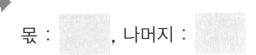

| 조건 | 주어진 숫자 카드로 만들 수 있는 가장 큰 세 자리 수와 가장 작은 두 자리 수의 나눗셈입니다. |

➡

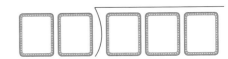

몫 :　　　　, 나머지 :

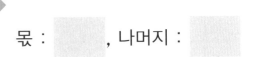

| 조건 | 주어진 숫자 카드로 만들 수 있는 가장 작은 세 자리 수와 가장 큰 두 자리 수의 나눗셈입니다. |

➡

몫 :　　　　, 나머지 :

| 1 | 0 | 5 | 5 | 8 |

조건 · (세 자리 수)÷(두 자리 수)의 몫이 가장 큽니다.

➡ 몫 : ____ , 나머지 : ____

| 2 | 2 | 3 | 6 | 7 |

조건 · (세 자리 수)÷(두 자리 수)의 몫이 가장 큽니다.

➡ 몫 : ____ , 나머지 : ____

4

C04

| 3 | 4 | 5 | 6 | 7 |

조건
· (세 자리 수)÷(두 자리 수)의 몫이 가장 작습니다.
· 나머지의 일의 자리 숫자는 1입니다.

➡ 몫 : ____ , 나머지 : ____

C04
정답

BO2권에서 배운 (두 자리 수)×(한 자리 수)를 바탕으로 (세 자리 수)×(한 자리 수)를 세로셈으로 학습하는 과정입니다.

세로셈으로 계산할 때에는 자릿수를 맞추어 일의 자리, 십의 자리, 백의 자리 순서로 차근차근 계산해야 합니다. 다만 올림이 있는 경우에는 학생들이 올림한 숫자를 잊어버리고 계산하는 실수를 종종 합니다. 따라서 반드시 올림한 숫자를 작은 크기의 글씨로 기록하도록 지도해 주세요.

P8~9

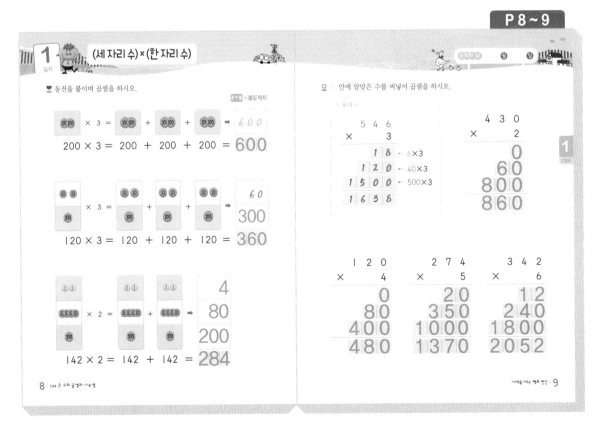

1 각 자리를 맞추어 곱셈을 하시오.

$240 \times 3 = \boxed{}0 \rightarrow 240 \times 3 = 720$
24×3

$100 \times 7 = 700$ 1×7
$130 \times 2 = 260$ 13×2

$300 \times 3 = 900$
$410 \times 6 = 2460$

$400 \times 6 = 2400$
$360 \times 4 = 1440$

$600 \times 5 = 3000$
$720 \times 8 = 5760$

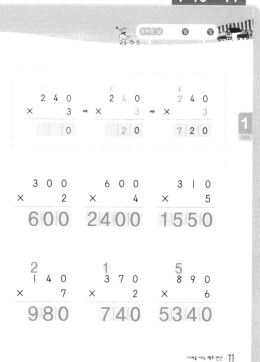

300 × 2 = 600	600 × 4 = 2400	310 × 5 = 1550
140 × 7 = 980	370 × 2 = 740	890 × 6 = 5340

10 · C04 큰 수의 곱셈과 나눗셈

사고력을 키우는 팩토 연산 · 11

---

1 각 자리를 맞추어 곱셈을 하시오.

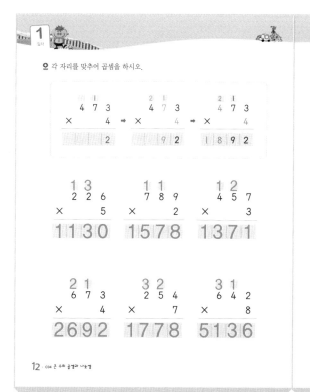

$473 \times 4 \rightarrow 2, \ 92, \ 1892$

226 × 5 = 1130	789 × 2 = 1578	457 × 3 = 1371
673 × 4 = 2692	254 × 7 = 1778	642 × 8 = 5136

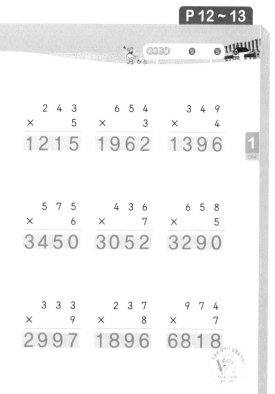

243 × 5 = 1215	654 × 3 = 1962	349 × 4 = 1396
575 × 6 = 3450	436 × 7 = 3052	658 × 5 = 3290
333 × 9 = 2997	237 × 8 = 1896	974 × 7 = 6818

12 · C04 큰 수의 곱셈과 나눗셈

학습가이드

(세 자리 수)×(몇십)을 세로셈으로 학습하는 과정입니다.
(세 자리 수)×(몇십)은 (세 자리 수)×(한 자리 수)의 계산 결과의 10배이므로, 계산 값의 일의 자리에 먼저 0을 써넣은 다음 (세 자리 수)×(한 자리 수)를 계산하며 구합니다.

$$
\begin{array}{r}
1\ 3\ 4 \\
\times \quad 2\ 0 \\
\hline
\quad\quad\ \ 0
\end{array}
\Rightarrow
\begin{array}{r}
1\ 3\ 4 \\
\times \quad 2\ 0 \\
\hline
2\ 6\ 8\ 0
\end{array}
$$

P 14 ~ 15

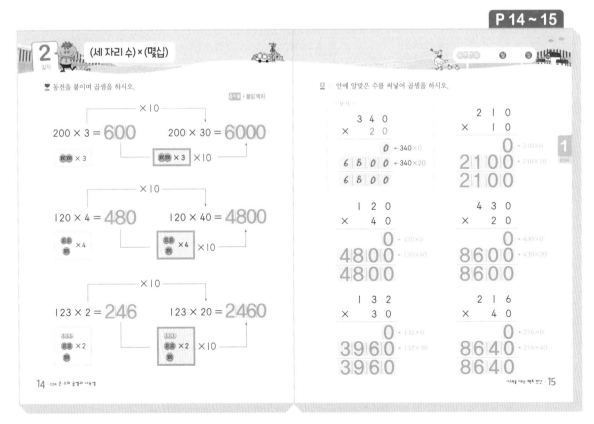

P 16 ~ 17

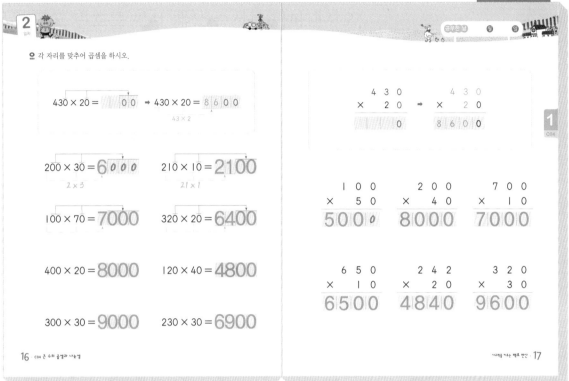

P 18 ~ 19

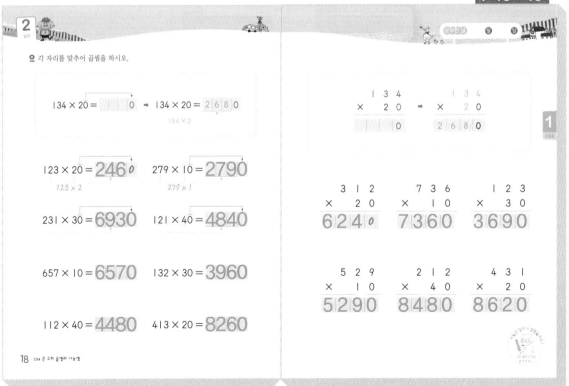

학습가이드

(세 자리 수)×(두 자리 수)를 세로셈으로 학습하는 과정입니다.
(세 자리 수)×(두 자리 수)의 세로셈은 1일차의 (세 자리 수)×(한 자리 수)와 2일차의
(세 자리 수)×(몇십)의 계산 과정을 포함하고 있습니다. 따라서 1일차와 2일차의 계산 방법
에 따라 차근차근 계산하면 됩니다.
또한 (세 자리 수)×(세 자리 수) 이상의 큰 수의 곱셈 (세 자리 수)×(두 자리 수)의 세로셈
계산 방법을 확장하여 계산하면 됩니다.

$$
\begin{array}{r}
2\ 4\ 3 \\
\times \quad 6\ 7 \\
\hline
1\ 7\ 0\ 1
\end{array}
\quad \Rightarrow \quad
\begin{array}{r}
2\ 4\ 3 \\
\times \quad 6\ 7 \\
\hline
1\ 7\ 0\ 1 \\
1\ 4\ 5\ 8
\end{array}
\quad \Rightarrow \quad
\begin{array}{r}
2\ 4\ 3 \\
\times \quad 6\ 7 \\
\hline
1\ 7\ 0\ 1 \\
1\ 4\ 5\ 8 \\
\hline
1\ 6\ 2\ 8\ 1
\end{array}
$$

P 20 ~ 21

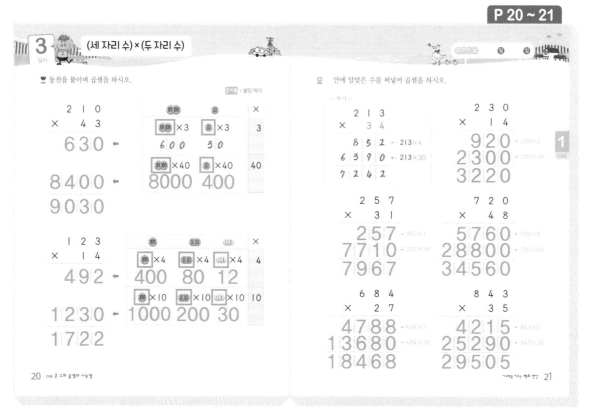

P 22 ~ 23

3

○ 각 자리를 맞추어 곱셈을 하시오.

```
    2 4 3          2 4 3          2 4 3
  ×   6 7    →   ×   6 7    →   ×   6 7
    1 7 0 1        1 7 0 1        1 7 0 1
                   1 4 5 8        1 4 5 8
                                  1 6 2 8 1
```

```
    4 5 8          5 3 4
  ×   3 4        ×   4 3
    1 8 3 2        1 6 0 2
    1 3 7 4        2 1 3 6
    1 5 5 7 2      2 2 9 6 2
```

```
    4 7 0          7 1 9
  ×   3 6        ×   6 4
    2 8 2 0        2 8 7 6
    1 4 1 0        4 3 1 4
    1 6 9 2 0      4 6 0 1 6
```

```
    3 8 4          5 3 7
  ×   4 7        ×   2 8
    2 6 8 8        4 2 9 6
    1 5 3 6        1 0 7 4
    1 8 0 4 8      1 5 0 3 6
```

```
    6 2 0          4 8 3
  ×   3 4        ×   7 5
    2 4 8 0        2 4 1 5
    1 8 6 0        3 3 8 1
    2 1 0 8 0      3 6 2 2 5
```

```
    7 6 5          8 1 6
  ×   5 3        ×   6 9
    2 2 9 5        7 3 4 4
    3 8 2 5        4 8 9 6
    4 0 5 4 5      5 6 3 0 4
```

P 24 ~ 25

3

○ 곱셈을 하시오.

```
    3 2 0          6 8 6          2 3 2
  ×   5 4        ×   3 2        ×   6 5
  1 7 2 8 0      2 1 9 5 2      1 5 0 8 0
```

```
    5 6 9          3 9 2          4 4 6
  ×   4 2        ×   5 6        ×   7 3
  2 3 8 9 8      2 1 9 5 2      3 2 5 5 8
```

```
    5 3 4          4 3 7          6 2 4
  ×   4 6        ×   5 3        ×   7 6
  2 4 5 6 4      2 3 1 6 1      4 7 4 2 4
```

```
    4 8 4          8 4 3          5 7 7
  ×   3 7        ×   8 5        ×   6 9
  1 7 9 0 8      7 1 6 5 5      3 9 8 1 3
```

```
    7 4 6          3 5 4          4 7 5
  ×   3 8        ×   4 9        ×   2 7
  2 8 3 4 8      1 7 3 4 6      1 2 8 2 5
```

```
    6 3 8          7 5 2          9 8 9
  ×   5 4        ×   7 6        ×   3 5
  3 4 4 5 2      5 7 1 5 2      3 4 6 1 5
```

(두 자리 수)÷(한 자리 수), (세 자리 수)÷(두 자리 수) 중 나머지가 없는 나눗셈을 세로셈으로 학습하는 과정입니다.

세로셈으로 계산하는 나눗셈의 기본 원리는 포함제입니다. 예를 들어 아래 예시의 45÷3에서 40에는 3이 10번, 15에는 3이 5번 포함되어 있다는 의미입니다.

$45 \div 3$

```
      1   5
  3 ) 4   5
      3   0   ← 3×10
      1   5   ← 45-30
      1   5   ← 3×5
          0   ← 15-15
```

$320 \div 20$

```
       1   6
  20 ) 3  2  0
       2  0  0   ← 20×10
       1  2  0   ← 320-200
       1  2  0   ← 20×6
             0   ← 120-120
```

P 26 ~ 27

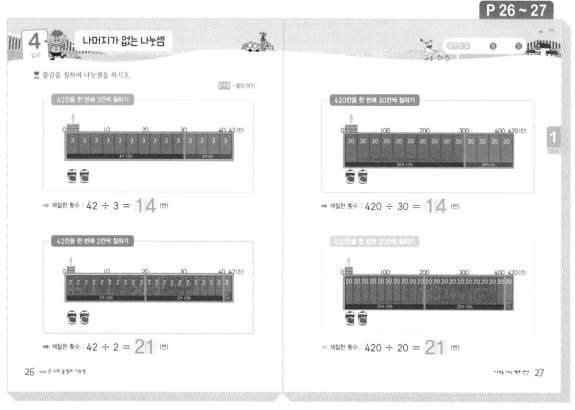

P 28 ~ 29

4 일차

○ (두 자리 수)÷(한 자리 수)를 계산하시오.

$45 \div 3$

$$\begin{array}{r} 1 \\ 3\overline{)45} \\ 30 \leftarrow 3\times10 \\ \hline 15 \leftarrow 45-30 \end{array} \Rightarrow \begin{array}{r} 15 \\ 3\overline{)45} \\ 30 \\ \hline 15 \\ 15 \leftarrow 3\times5 \\ \hline 0 \leftarrow 15-15 \end{array}$$

$$\begin{array}{r} 17 \\ 3\overline{)51} \\ 30 \\ \hline 21 \\ 21 \\ \hline 0 \end{array} \qquad \begin{array}{r} 13 \\ 5\overline{)65} \\ 50 \\ \hline 15 \\ 15 \\ \hline 0 \end{array} \qquad \begin{array}{r} 21 \\ 2\overline{)42} \\ 40 \\ \hline 2 \\ 2 \\ \hline 0 \end{array}$$

$$\begin{array}{r} 18 \\ 2\overline{)36} \end{array} \qquad \begin{array}{r} 13 \\ 6\overline{)78} \end{array} \qquad \begin{array}{r} 12 \\ 4\overline{)48} \end{array}$$

$$\begin{array}{r} 23 \\ 3\overline{)69} \end{array} \qquad \begin{array}{r} 14 \\ 7\overline{)98} \end{array} \qquad \begin{array}{r} 16 \\ 5\overline{)80} \end{array}$$

$$\begin{array}{r} 14 \\ 4\overline{)56} \end{array} \qquad \begin{array}{r} 12 \\ 8\overline{)96} \end{array} \qquad \begin{array}{r} 37 \\ 2\overline{)74} \end{array}$$

P 30 ~ 31

4 일차

○ (세 자리 수) ÷ (두 자리 수)를 계산하시오.

$320 \div 20$

$$\begin{array}{r} 1 \\ 20\overline{)320} \\ 200 \leftarrow 20\times10 \\ \hline 120 \leftarrow 320-200 \end{array} \Rightarrow \begin{array}{r} 16 \\ 20\overline{)320} \\ 200 \\ \hline 120 \\ 120 \leftarrow 20\times6 \\ \hline 0 \leftarrow 120-120 \end{array}$$

$$\begin{array}{r} 13 \\ 50\overline{)650} \\ 500 \\ \hline 150 \\ 150 \\ \hline 0 \end{array} \qquad \begin{array}{r} 15 \\ 30\overline{)450} \\ 300 \\ \hline 150 \\ 150 \\ \hline 0 \end{array} \qquad \begin{array}{r} 14 \\ 40\overline{)560} \\ 400 \\ \hline 160 \\ 160 \\ \hline 0 \end{array}$$

$$\begin{array}{r} 12 \\ 20\overline{)240} \end{array} \qquad \begin{array}{r} 17 \\ 50\overline{)850} \end{array} \qquad \begin{array}{r} 31 \\ 30\overline{)930} \end{array}$$

$$\begin{array}{r} 16 \\ 40\overline{)640} \end{array} \qquad \begin{array}{r} 12 \\ 70\overline{)840} \end{array} \qquad \begin{array}{r} 15 \\ 60\overline{)900} \end{array}$$

$$\begin{array}{r} 15 \\ 50\overline{)750} \end{array} \qquad \begin{array}{r} 23 \\ 30\overline{)690} \end{array} \qquad \begin{array}{r} 43 \\ 20\overline{)860} \end{array}$$

학습가이드

(두 자리 수)÷(한 자리 수), (세 자리 수)÷(두 자리 수) 중 나머지가 있는 나눗셈을 세로셈으로 학습하는 과정입니다.

세 자리 수 이상의 큰 수의 나눗셈에서도 (세 자리 수)÷(두 자리 수)의 세로셈 계산 방법을 확장하여 계산을 하면 됩니다.

35÷2

```
        1 7
   2 ) 3 5
       2 0   ← 2×10
       1 5   ← 35−20
       1 4   ← 2×7
         1   ← 15−14
```

470÷30

```
          1 5
   30 ) 4 7 0
        3 0 0   ← 30×10
        1 7 0   ← 470−300
        1 5 0   ← 30×5
          2 0   ← 170−150
```

P 32 ~ 33

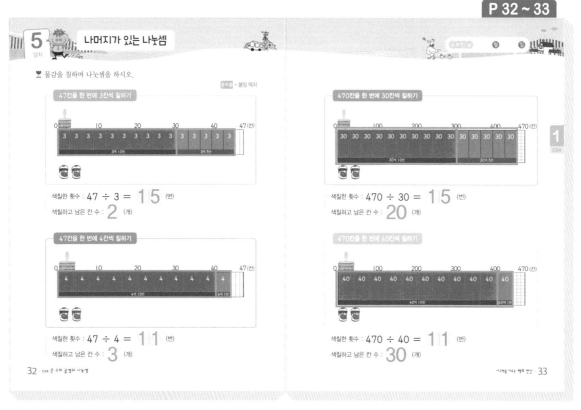

5일차 나머지가 있는 나눗셈

🌸 물감을 칠하며 나눗셈을 하시오.

준비물 ▶ 붙임 딱지

47칸을 한 번에 3칸씩 칠하기

색칠한 횟수 : 47 ÷ 3 = 15 (번)
색칠하고 남은 칸 수 : 2 (개)

47칸을 한 번에 4칸씩 칠하기

색칠한 횟수 : 47 ÷ 4 = 11 (번)
색칠하고 남은 칸 수 : 3 (개)

470칸을 한 번에 30칸씩 칠하기

색칠한 횟수 : 470 ÷ 30 = 15 (번)
색칠하고 남은 칸 수 : 20 (개)

470칸을 한 번에 40칸씩 칠하기

색칠한 횟수 : 470 ÷ 40 = 11 (번)
색칠하고 남은 칸 수 : 30 (개)

P 34 ~ 35

5 일차

ⓧ (두 자리 수)÷(한 자리 수)를 계산하시오.

35÷2

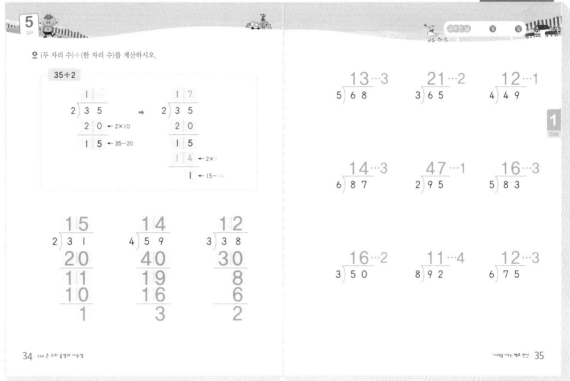

	$13\cdots3$	$21\cdots2$	$12\cdots1$
	5)6 8	3)6 5	4)4 9

	$14\cdots3$	$47\cdots1$	$16\cdots3$
	6)8 7	2)9 5	5)8 3

	$16\cdots2$	$11\cdots4$	$12\cdots3$
	3)5 0	8)9 2	6)7 5

P 36 ~ 37

5 일차

ⓧ (세 자리 수) ÷ (두 자리 수)를 계산하시오.

470÷30

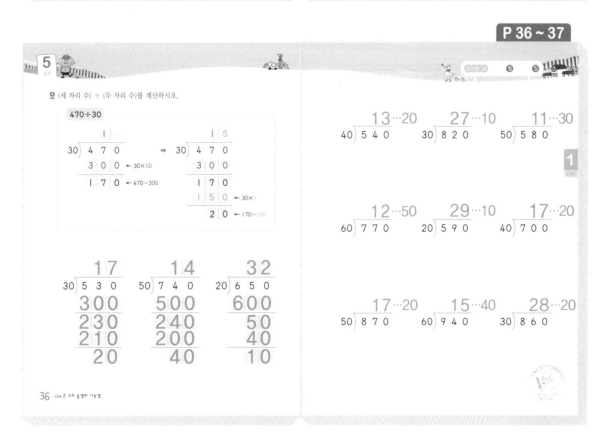

	$13\cdots20$	$27\cdots10$	$11\cdots30$
	40)5 4 0	30)8 2 0	50)5 8 0

	$12\cdots50$	$29\cdots10$	$17\cdots20$
	60)7 7 0	20)5 9 0	40)7 0 0

	$17\cdots20$	$15\cdots40$	$28\cdots20$
	50)8 7 0	60)9 4 0	30)8 6 0

P 38 ~ 39

큰 수의 곱셈과 나눗셈 — 연산 실력 체크

정답 수 / 39개 날짜 월 일

❖ 2~4주 사고력 연산을 학습하기 전에 기본 연산 실력을 점검해 보세요.

1.
$$\begin{array}{r} 1\ 3\ 4 \\ \times\quad 2 \\ \hline 2\ 6\ 8 \end{array}$$

2.
$$\begin{array}{r} 3\ 1\ 0 \\ \times\quad 3 \\ \hline 9\ 3\ 0 \end{array}$$

3.
$$\begin{array}{r} 4\ 2\ 3 \\ \times\quad 2 \\ \hline 8\ 4\ 6 \end{array}$$

4.
$$\begin{array}{r} 1\ 6\ 0 \\ \times\quad 4 \\ \hline 6\ 4\ 0 \end{array}$$

5.
$$\begin{array}{r} 2\ 4\ 8 \\ \times\quad 2 \\ \hline 4\ 9\ 6 \end{array}$$

6.
$$\begin{array}{r} 9\ 1\ 1 \\ \times\quad 5 \\ \hline 4\ 5\ 5\ 5 \end{array}$$

7.
$$\begin{array}{r} 7\ 0\ 8 \\ \times\quad 3 \\ \hline 2\ 1\ 2\ 4 \end{array}$$

8.
$$\begin{array}{r} 3\ 7\ 4 \\ \times\quad 6 \\ \hline 2\ 2\ 4\ 4 \end{array}$$

9.
$$\begin{array}{r} 1\ 3\ 5 \\ \times\quad 8 \\ \hline 1\ 0\ 8\ 0 \end{array}$$

10.
$$\begin{array}{r} 5\ 4\ 2 \\ \times\quad 7 \\ \hline 3\ 7\ 9\ 4 \end{array}$$

11.
$$\begin{array}{r} 9\ 7\ 6 \\ \times\quad 5 \\ \hline 4\ 8\ 8\ 0 \end{array}$$

12.
$$\begin{array}{r} 6\ 5\ 9 \\ \times\quad 8 \\ \hline 5\ 2\ 7\ 2 \end{array}$$

연산 실력 체크 1 2 3

13.
$$\begin{array}{r} 5\ 3\ 7 \\ \times\quad 1\ 0 \\ \hline 5\ 3\ 7\ 0 \end{array}$$

14.
$$\begin{array}{r} 1\ 2\ 0 \\ \times\quad 4\ 0 \\ \hline 4\ 8\ 0\ 0 \end{array}$$

15.
$$\begin{array}{r} 2\ 1\ 3 \\ \times\quad 3\ 0 \\ \hline 6\ 3\ 9\ 0 \end{array}$$

16.
$$\begin{array}{r} 4\ 7\ 0 \\ \times\quad 2\ 0 \\ \hline 9\ 4\ 0\ 0 \end{array}$$

17.
$$\begin{array}{r} 6\ 1\ 4 \\ \times\quad 3\ 0 \\ \hline 1\ 8\ 4\ 2\ 0 \end{array}$$

18.
$$\begin{array}{r} 7\ 2\ 0 \\ \times\quad 1\ 1 \\ \hline 7\ 9\ 2\ 0 \end{array}$$

19.
$$\begin{array}{r} 3\ 4\ 2 \\ \times\quad 2\ 1 \\ \hline 7\ 1\ 8\ 2 \end{array}$$

20.
$$\begin{array}{r} 2\ 2\ 5 \\ \times\quad 1\ 4 \\ \hline 3\ 1\ 5\ 0 \end{array}$$

21.
$$\begin{array}{r} 4\ 3\ 1 \\ \times\quad 3\ 2 \\ \hline 1\ 3\ 7\ 9\ 2 \end{array}$$

22.
$$\begin{array}{r} 6\ 2\ 3 \\ \times\quad 5\ 4 \\ \hline 3\ 3\ 6\ 4\ 2 \end{array}$$

23.
$$\begin{array}{r} 8\ 0\ 4 \\ \times\quad 7\ 5 \\ \hline 6\ 0\ 3\ 0\ 0 \end{array}$$

24.
$$\begin{array}{r} 9\ 5\ 7 \\ \times\quad 4\ 6 \\ \hline 4\ 4\ 0\ 2\ 2 \end{array}$$

P 40 ~ 41

큰 수의 곱셈과 나눗셈

25. $3\ )\ 6\ 9 = 23$
26. $2\ )\ 3\ 2 = 16$
27. $4\ )\ 7\ 6 = 19$

28. $6\ )\ 9\ 0 = 15$
29. $3\ )\ 4\ 3 = 14 \cdots 1$
30. $5\ )\ 6\ 4 = 12 \cdots 4$

31. $4\ )\ 7\ 4 = 18 \cdots 2$
32. $2\ )\ 5\ 7 = 28 \cdots 1$
33. $7\ )\ 9\ 4 = 13 \cdots 3$

34. $40\ )\ 5\ 2\ 0 = 13$
35. $30\ )\ 6\ 3\ 0 = 21$
36. $50\ )\ 7\ 5\ 0 = 15$

연산 실력 체크 1 2 3

37. $30\ )\ 4\ 6\ 0 = 15 \cdots 10$
38. $60\ )\ 9\ 8\ 0 = 16 \cdots 20$
39. $40\ )\ 9\ 5\ 0 = 23 \cdots 30$

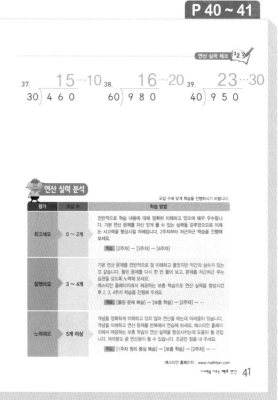

연산 실력 분석

오답 수에 맞게 학습을 진행하시기 바랍니다.

평가	오답 수	학습 방법
최고예요	0 ~ 2개	전반적으로 학습 내용에 대해 정확히 이해하고 있으며 매우 우수합니다. 기본 연산 문제를 자신 있게 풀 수 있는 실력을 갖추었으므로 이제는 사고력을 향상시킬 차례입니다. 2주차부터 차근차근 학습을 진행해 보세요. 학습 [2주차] → [3주차] → [4주차]
잘했어요	3 ~ 4개	기본 연산 문제를 전반적으로 잘 이해하고 풀었지만 약간의 실수가 있는 것 같습니다. 틀린 문제를 다시 한 번 풀어 보고, 문제를 차근차근 푸는 습관을 갖도록 노력해 보세요. 메스티안 홈페이지에서 제공하는 보충 학습으로 연산 실력을 향상시킨 후 2, 3, 4주차 학습을 진행해 주세요. 학습 [틀린 문제 복습] → [보충 학습] → [2주차]
노력해요	5개 이상	개념을 정확하게 이해하고 있지 않아 연산을 하는데 어려움이 있습니다. 개념을 이해하고 연산 문제를 반복해서 연습해 보세요. 메스티안 홈페이지에서 제공하는 보충 학습으로 연산 실력을 향상시키는데 도움이 될 것입니다. 여러분도 곧 연산왕이 될 수 있습니다. 조금만 힘을 내주세요. 학습 [1주차 원리 중심 복습] → [보충 학습] → [2주차] → …

메스티안 홈페이지 : www.mathtian.com

P 44 ~ 45

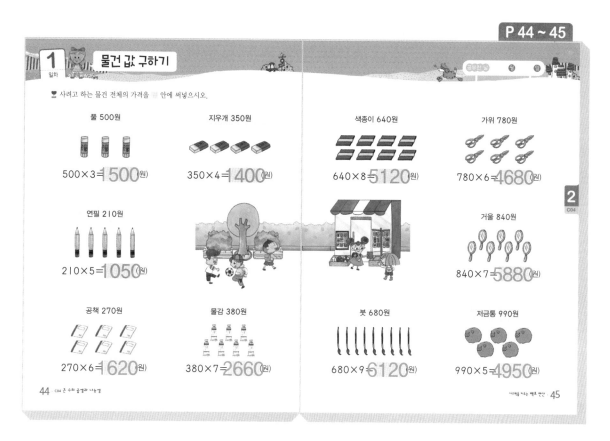

1 일차 **물건 값 구하기**

🏆 사려고 하는 물건 전체의 가격을 ▢ 안에 써넣으시오.

풀 500원
$500×3=$ **1500**(원)

지우개 350원
$350×4=$ **1400**(원)

색종이 640원
$640×8=$ **5120**(원)

가위 780원
$780×6=$ **4680**(원)

연필 210원
$210×5=$ **1050**(원)

거울 840원
$840×7=$ **5880**(원)

공책 270원
$270×6=$ **1620**(원)

물감 380원
$380×7=$ **2660**(원)

붓 680원
$680×9=$ **6120**(원)

저금통 990원
$990×5=$ **4950**(원)

44 C04 큰 수의 곱셈과 나눗셈

사고력을 키우는 팩토 연산 45

P 46 ~ 47

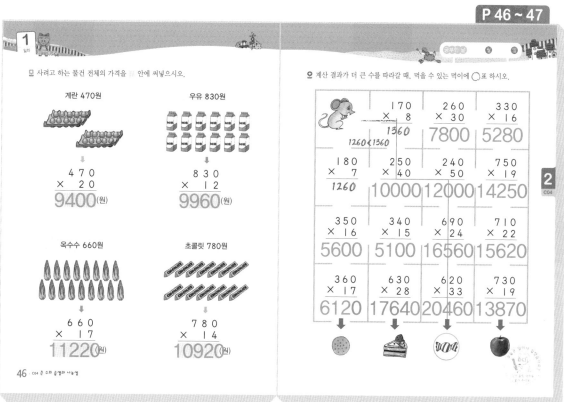

1 일차

🐱 사려고 하는 물건 전체의 가격을 ▢ 안에 써넣으시오.

계란 470원
↓
$470 × 20$
9400(원)

우유 830원
↓
$830 × 12$
9960(원)

옥수수 660원
↓
$660 × 17$
11220(원)

초콜릿 780원
↓
$780 × 14$
10920(원)

🐱 계산 결과가 더 큰 수를 따라갈 때, 먹을 수 있는 먹이에 ○표 하시오.

$170 × 8$	$260 × 30$	$330 × 16$	
1360	**7800**	**5280**	
1260<1360			
$180 × 7$	$250 × 40$	$240 × 50$	$750 × 19$
1260	**10000**	**12000**	**14250**
$350 × 16$	$340 × 15$	$690 × 24$	$710 × 22$
5600	**5100**	**16560**	**15620**
$360 × 17$	$630 × 28$	$620 × 33$	$730 × 19$
6120	**17640**	**20460**	**13870**

46 C04 큰 수의 곱셈과 나눗셈

사고력을 키우는 **팩토 연산** · **121**

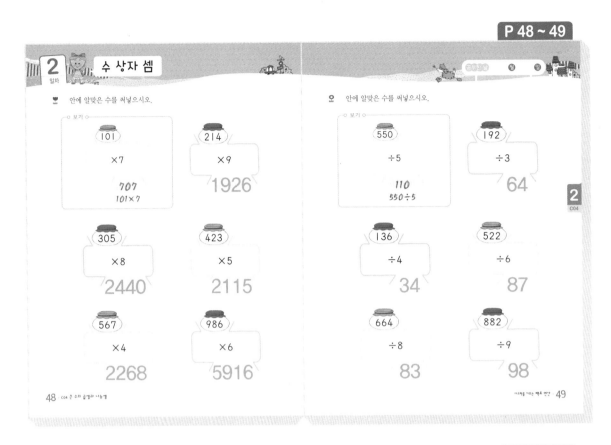

P 48~49

2일차 수 상자 셈

안에 알맞은 수를 써넣으시오.

보기
101
×7
707
101×7

214
×9
1926

305
×8
2440

423
×5
2115

567
×4
2268

986
×6
5916

안에 알맞은 수를 써넣으시오.

보기
550
÷5
110
550÷5

192
÷3
64

136
÷4
34

522
÷6
87

664
÷8
83

882
÷9
98

48 C04 큰 수의 곱셈과 나눗셈

아리수를 이용한 정확한 연산 · 49

P 50~51

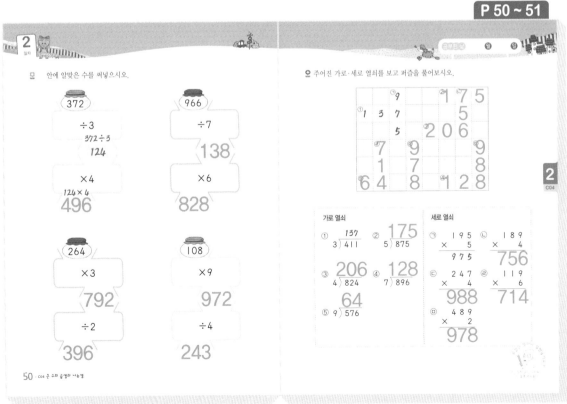

2일차

안에 알맞은 수를 써넣으시오.

372
÷3
372÷3
124
×4
124×4
496

966
÷7
138
×6
828

264
×3
792
÷2
396

108
×9
972
÷4
243

주어진 가로·세로 열쇠를 보고 퍼즐을 풀어보시오.

	㉠9		㉑1	7	5
①1	3	7		5	
		5	③2	0	6
	㉣7	㉢9		㉤9	
	1	7			8	
④6	4	㉥8		④1	2	8

가로 열쇠
① 137
3)411
② 175
5)875
③ 206
4)824
④ 128
7)896
⑤ 9)576
64

세로 열쇠
㉠ 195
× 5
975
㉡ 189
× 4
756
㉢ 247
× 4
988
㉣ 119
× 6
714
㉤ 489
× 2
978

50 · C04 큰 수의 곱셈과 나눗셈

P 52 ~ 53

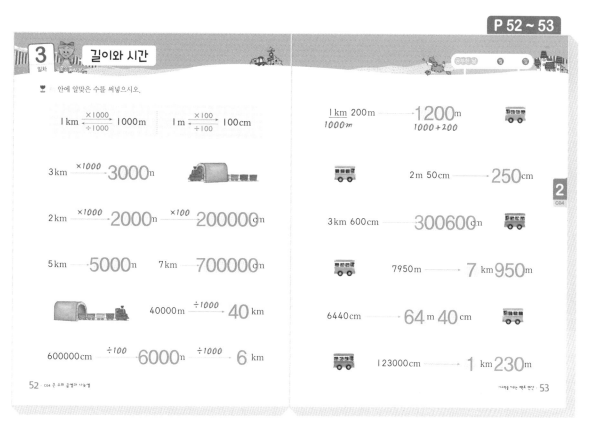

P 54 ~ 55

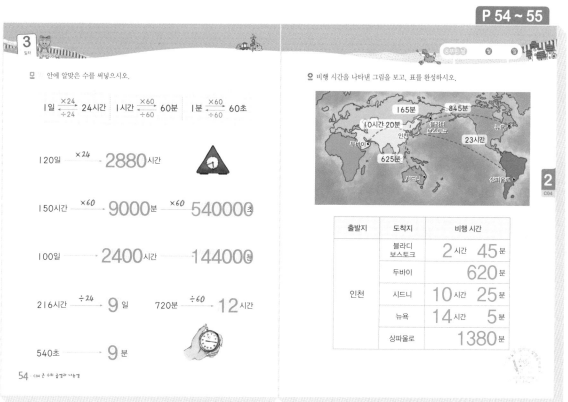

출발지	도착지	비행 시간	
인천	블라디보스토크	2시간	45분
	두바이	620분	
	시드니	10시간	25분
	뉴욕	14시간	5분
	상파울로	1380분	

P 56 ~ 57

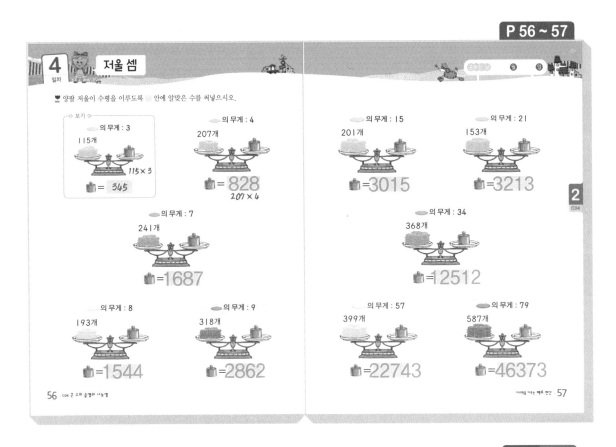

P 58 ~ 59

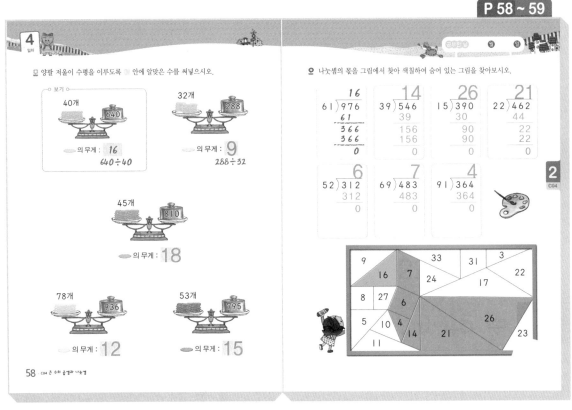

5 일차 만들 수 있는 개수

P 60 ~ 61

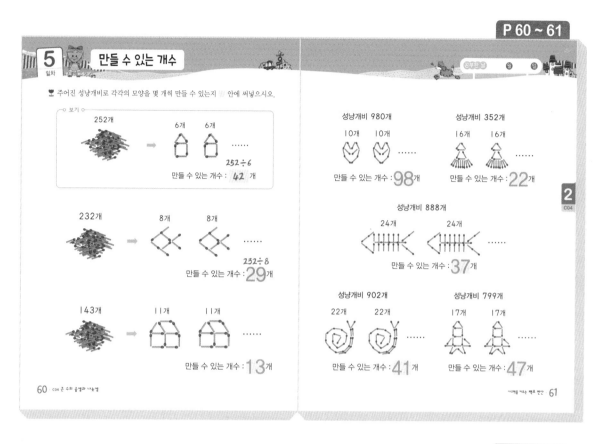

보기

252개 → 6개 6개 ······
$252 \div 6$
만들 수 있는 개수 : 42 개

232개 → 8개 8개 ······
$232 \div 8$
만들 수 있는 개수 : 29개

143개 → 11개 11개 ······
만들 수 있는 개수 : 13개

성냥개비 980개
10개 10개
만들 수 있는 개수 : 98개

성냥개비 352개
16개 16개
만들 수 있는 개수 : 22개

성냥개비 888개
24개 24개 ······
만들 수 있는 개수 : 37개

성냥개비 902개
22개 22개 ······
만들 수 있는 개수 : 41 개

성냥개비 799개
17개 17개
만들 수 있는 개수 : 47개

P 62 ~ 63

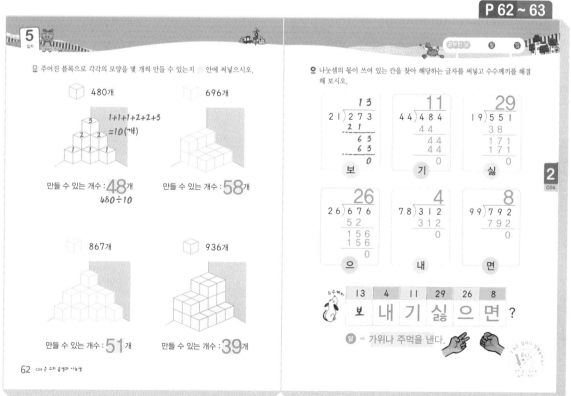

480개

$1+1+1+2+2+3 = 10$(개)

만들 수 있는 개수 : 48개
$480 \div 10$

696개
만들 수 있는 개수 : 58개

867개
만들 수 있는 개수 : 51개

936개
만들 수 있는 개수 : 39개

나눗셈의 몫이 쓰여 있는 칸을 찾아 해당하는 글자를 써넣고 수수께끼를 해결해 보시오.

```
      1 3
21) 2 7 3
    2 1
    6 3
    6 3
      0
      보
```

```
      1 1
44) 4 8 4
    4 4
    4 4
    4 4
      0
      기
```

```
      2 9
19) 5 5 1
    3 8
  1 7 1
  1 7 1
      0
      싫
```

```
      2 6
26) 6 7 6
    5 2
  1 5 6
  1 5 6
      0
      으
```

```
      4
78) 3 1 2
  3 1 2
      0
      내
```

```
      8
99) 7 9 2
  7 9 2
      0
      면
```

13	4	11	29	26	8
보	내	기	싫	으	면	?

답 → 가위나 주먹을 낸다.

P 66 ~ 67

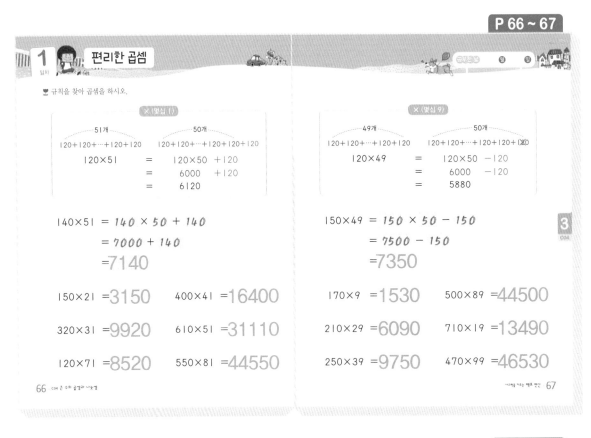

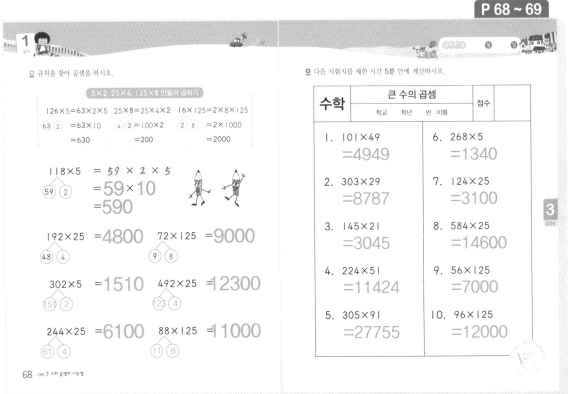

P 70 ~ 71

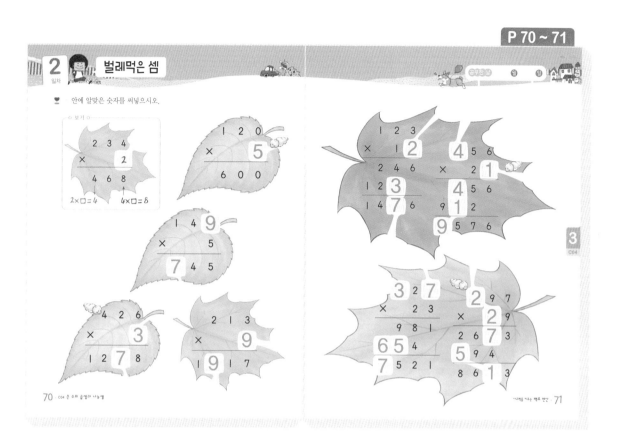

P 72 ~ 73

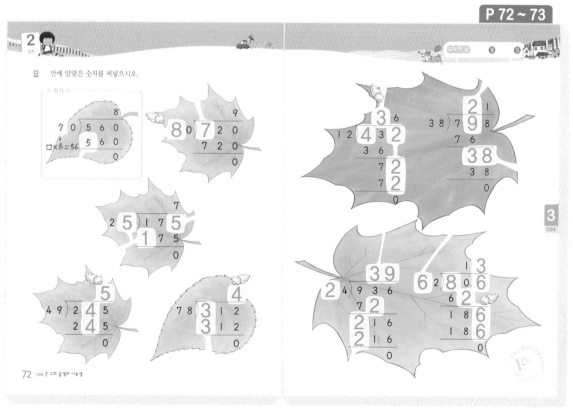

P 74 ~ 75

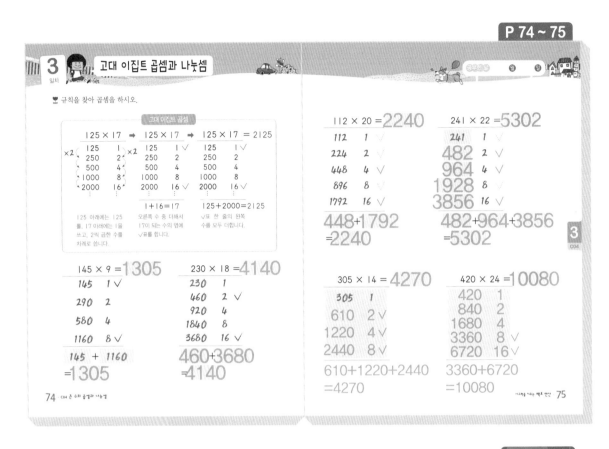

P 76 ~ 77

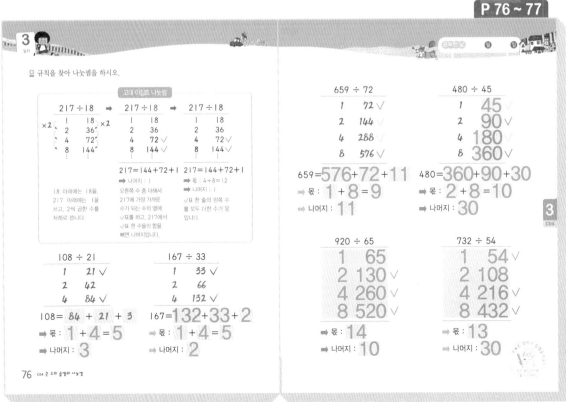

P 78 ~ 79

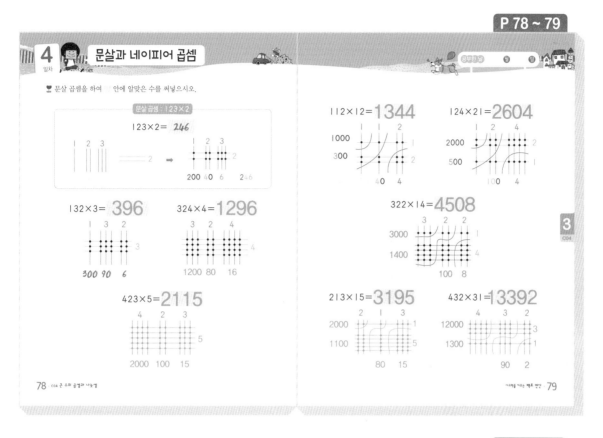

P 80 ~ 81

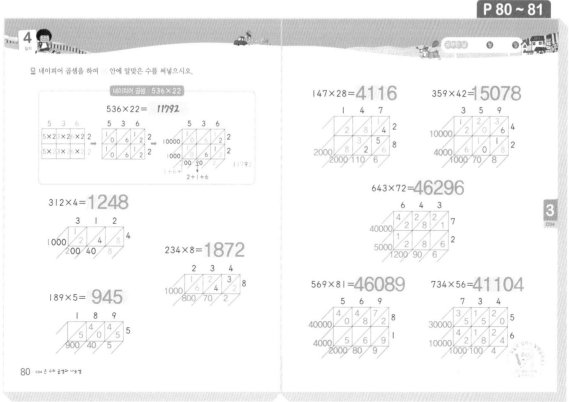

P 82 ~ 83

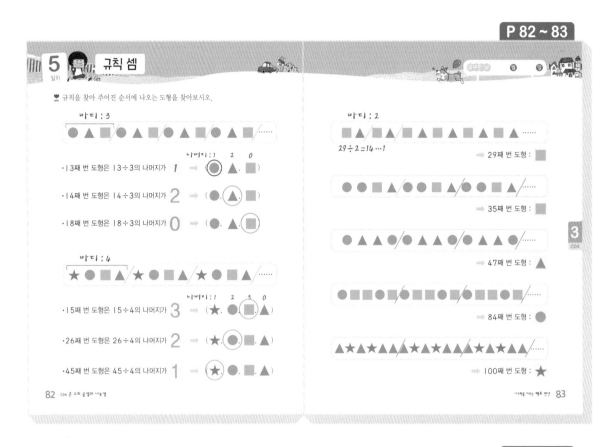

P 84 ~ 85

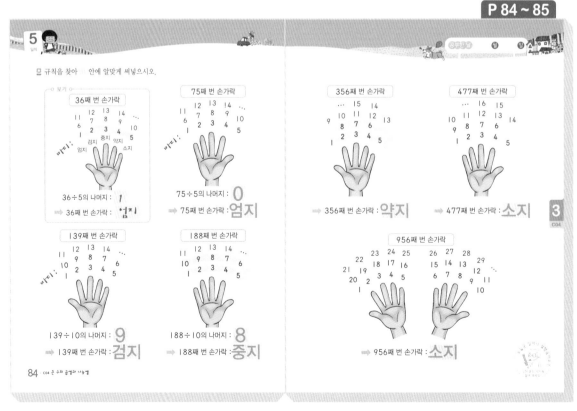

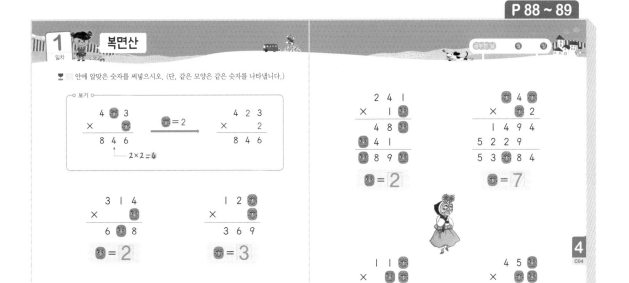

P 88 ~ 89

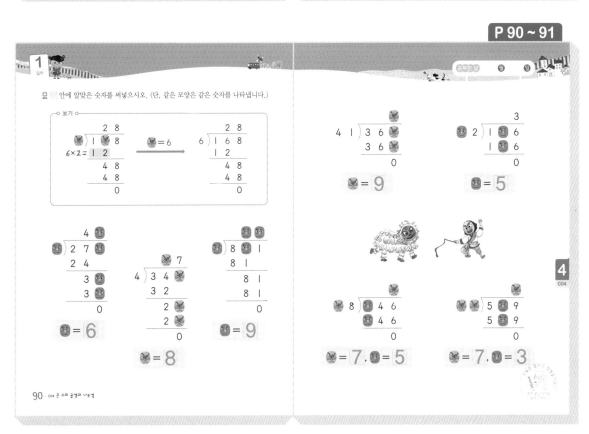

P 90 ~ 91

P 92 ~ 93

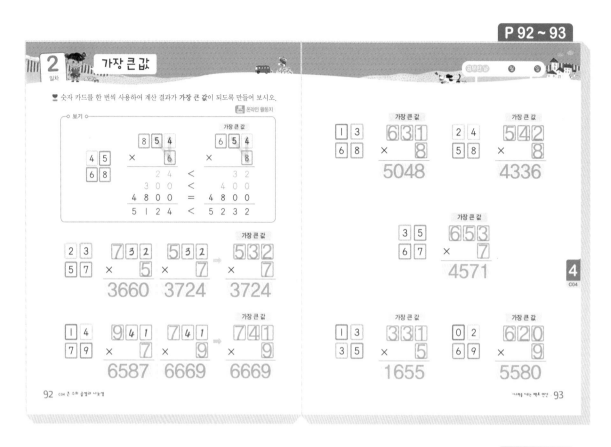

P 94 ~ 95

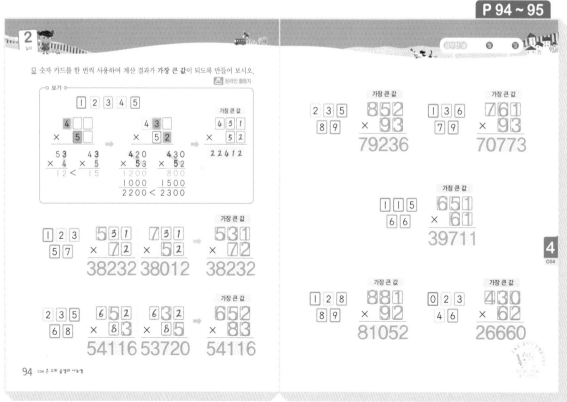

3 일차 신기한 곱셈

계산하지 않고 규칙을 찾아 안에 알맞은 수를 써넣으시오.

$0 \times 9 + 1 = 1$

$1 \times 9 + 2 = 11$

$12 \times 9 + 3 = 111$

$123 \times 9 + 4 = 1111$

$1234 \times 9 + 5 = 11111$

$12345 \times 9 + 6 = 111111$

$123456789 \times 9 = 1111111101$

$123456789 \times 18 = 2222222202$

$123456789 \times 27 = 3333333303$

$123456789 \times 36 = 4444444404$

$123456789 \times 45 = 5555555505$

$123456789 \times 54 = 6666666606$

$1 \times 8 + 1 = 9$

$12 \times 8 + 2 = 98$

$123 \times 8 + 3 = 987$

$1234 \times 8 + 4 = 9876$

$12345 \times 8 + 5 = 98765$

$123456 \times 8 + 6 = 987654$

$1 \times 1 = 1$

$11 \times 11 = 121$

$111 \times 111 = 12321$

$1111 \times 1111 = 1234321$

$11111 \times 11111 = 123454321$

$111111 \times 111111 = 12345654321$

$6 \times 7 = 42$

$66 \times 67 = 4422$

$666 \times 667 = 444222$

$6666 \times 6667 = 44442222$

$66666 \times 66667 = 4444422222$

$666666 \times 666667 = 444444222222$

$2 \times 9 = 18$

$22 \times 9 = 198$

$222 \times 9 = 1998$

$2222 \times 9 = 19998$

$22222 \times 9 = 199998$

$222222 \times 9 = 1999998$

$999999 \times 2 = 1999998$

$999999 \times 3 = 2999997$

$999999 \times 4 = 3999996$

$999999 \times 5 = 4999995$

$999999 \times 6 = 5999994$

$999999 \times 7 = 6999993$

---

3 일차

계산하지 않고 규칙을 찾아 안에 알맞은 수를 써넣으시오.

$5 \times 5 = 25$ → 1×2

$15 \times 15 = 225$ → 2×3

$25 \times 25 = 625$ → 3×4

$35 \times 35 = 1225$

$45 \times 45 = 2025$ → 4×5

$\vdots$

$145 \times 145 = 21025$

$8 \times 9 = 72$

$88 \times 99 = 8712$

$888 \times 999 = 887112$

$8888 \times 9999 = 88871112$

$88888 \times 99999 = 8888711112$

$8888888 \times 9999999 = 8888888711111112$

$105 \times 999 = 104895$

$115 \times 999 = 114885$

$125 \times 999 = 124875$

$135 \times 999 = 134865$

$145 \times 999 = 144855$

$\vdots$

$195 \times 999 = 194805$

$142857 \times 1 = 142857$

$142857 \times 2 = 285714$

$142857 \times 3 = 428571$

$142857 \times 4 = 571428$

$142857 \times 5 = 714285$

$142857 \times 6 = 857142$

$35 \times 35 = 1225$

$335 \times 335 = 112225$

$3335 \times 3335 = 11122225$

$33335 \times 33335 = 1111222225$

$333335 \times 333335 = 111112222225$

$\vdots$

$333333335 \times 333333335 = 111111112222222225$

$4 \times 9 = 36$

$24 \times 99 = 2376$

$524 \times 999 = 523476$

$7524 \times 9999 = 75232476$

$67524 \times 99999 = 6752332476$

$\vdots$

$1367524 \times 9999999 = 13675238632476$

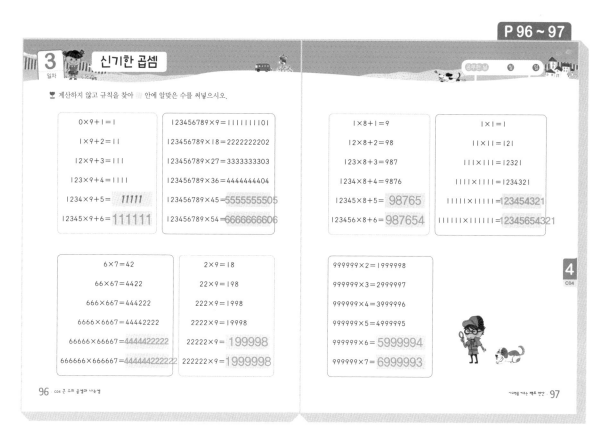
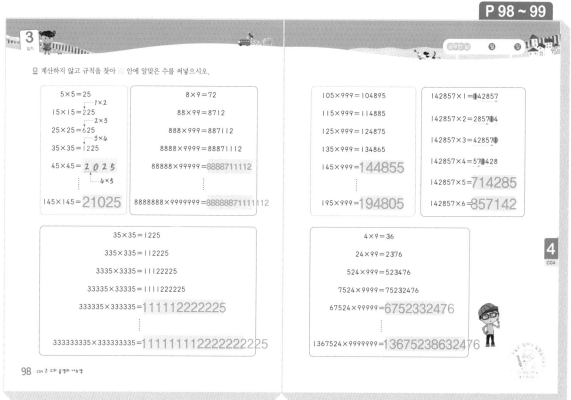

P 100 ~ 101

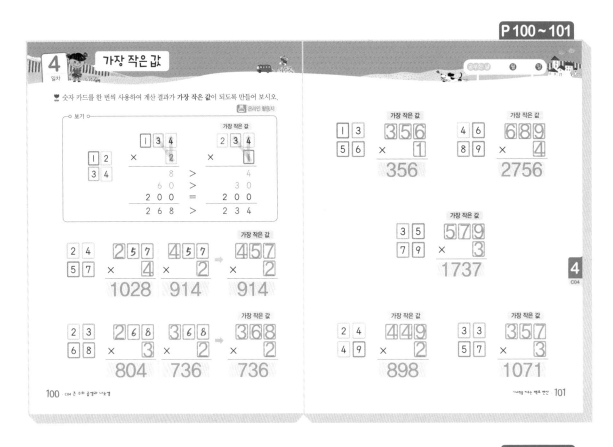

P 102 ~ 103

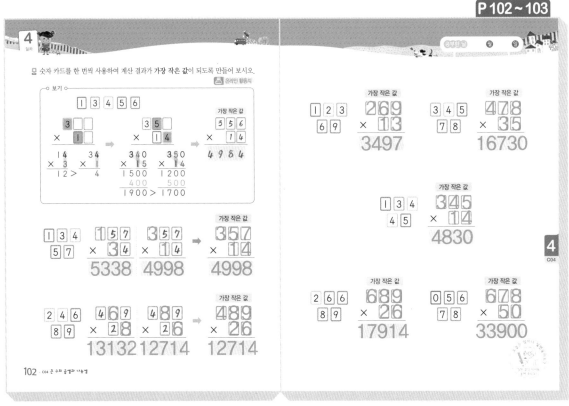

P 104 ~ 105

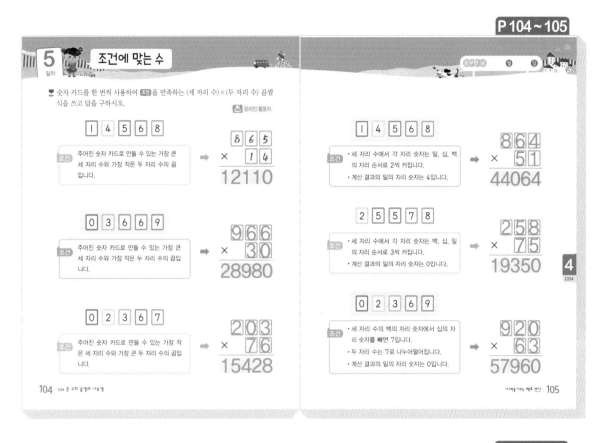

5 일차 조건에 맞는 수

숫자 카드를 한 번씩 사용하여 **조건**을 만족하는 (세 자리 수)×(두 자리 수) 곱셈식을 쓰고 답을 구하시오.

1 4 5 6 8

조건 주어진 숫자 카드로 만들 수 있는 가장 큰 세 자리 수와 가장 작은 두 자리 수의 곱입니다.

➡

$$\begin{array}{r} 865 \\ \times\ \ 14 \\ \hline 12110 \end{array}$$

0 3 6 6 9

조건 주어진 숫자 카드로 만들 수 있는 가장 큰 세 자리 수와 가장 작은 두 자리 수의 곱입니다.

➡

$$\begin{array}{r} 966 \\ \times\ \ 30 \\ \hline 28980 \end{array}$$

0 2 3 6 7

조건 주어진 숫자 카드로 만들 수 있는 가장 작은 세 자리 수와 가장 큰 두 자리 수의 곱입니다.

➡

$$\begin{array}{r} 203 \\ \times\ \ 76 \\ \hline 15428 \end{array}$$

1 4 5 6 8

조건
· 세 자리 수에서 각 자리 숫자는 일, 십, 백의 자리 순서로 2씩 커집니다.
· 계산 결과의 일의 자리 숫자는 4입니다.

➡

$$\begin{array}{r} 864 \\ \times\ \ 51 \\ \hline 44064 \end{array}$$

2 5 5 7 8

조건
· 세 자리 수에서 각 자리 숫자는 백, 십, 일의 자리 순서로 3씩 커집니다.
· 계산 결과의 일의 자리 숫자는 0입니다.

➡

$$\begin{array}{r} 258 \\ \times\ \ 75 \\ \hline 19350 \end{array}$$

0 2 3 6 9

조건
· 세 자리 수의 백의 자리 숫자에서 십의 자리 숫자를 빼면 7입니다.
· 두 자리 수는 7로 나누어떨어집니다.
· 계산 결과의 일의 자리 숫자는 0입니다.

➡

$$\begin{array}{r} 920 \\ \times\ \ 63 \\ \hline 57960 \end{array}$$

104 C04 큰 수의 곱셈과 나눗셈

사고력을 키우는 팩토 연산 105

4
C04

P 106 ~ 107

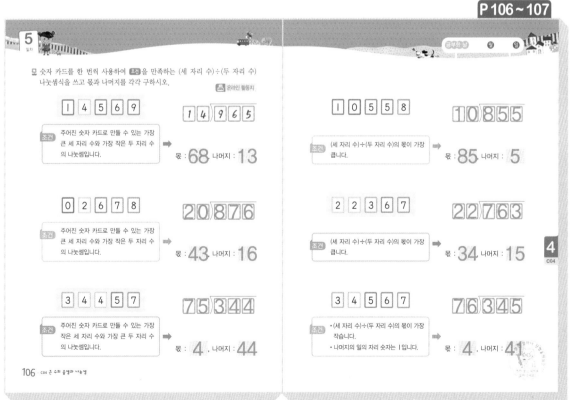

5 일차

숫자 카드를 한 번씩 사용하여 **조건**을 만족하는 (세 자리 수)÷(두 자리 수) 나눗셈식을 쓰고 몫과 나머지를 각각 구하시오.

1 4 5 6 9

조건 주어진 숫자 카드로 만들 수 있는 가장 큰 세 자리 수와 가장 작은 두 자리 수의 나눗셈입니다.

➡ 14)965

몫 : **68** 나머지 : **13**

0 2 6 7 8

조건 주어진 숫자 카드로 만들 수 있는 가장 큰 세 자리 수와 가장 작은 두 자리 수의 나눗셈입니다.

➡ 20)876

몫 : **43** 나머지 : **16**

3 4 4 5 7

조건 주어진 숫자 카드로 만들 수 있는 가장 작은 세 자리 수와 가장 큰 두 자리 수의 나눗셈입니다.

➡ 75)344

몫 : **4** , 나머지 : **44**

1 0 5 5 8

조건 (세 자리 수)÷(두 자리 수)의 몫이 가장 큽니다.

➡ 10)855

몫 : **85** 나머지 : **5**

2 2 3 6 7

조건 (세 자리 수)÷(두 자리 수)의 몫이 가장 큽니다.

➡ 22)763

몫 : **34** 나머지 : **15**

3 4 5 6 7

조건
· (세 자리 수)÷(두 자리 수)의 몫이 가장 작습니다.
· 나머지의 일의 자리 숫자는 1입니다.

➡ 76)345

몫 : **4** , 나머지 : **41**

106 C04 큰 수의 곱셈과 나눗셈

4
C04

memo